静岡カフェ時間

こだわりのお店案内

ふじのくに倶楽部 著

Mates-Publishing

静岡 カフェ時間
こだわりのお店案内

CONTENTS

※本書は2017年発行の『静岡 カフェ日和 ときめくお店案内』を元に内容の確認、一部掲載店舗を差し替え、書名・装丁を変更して新たに発行したものです。

ページの見方

How to use

エリア・店名

取材にご協力いただいたお店の正式名称と、おおまかなエリアを表示しています。

Takeoutアイコン

ドリンクやフードが持ち帰りできる場合にはこのアイコンをつけています。

本文

実際にお店で取材した内容を記載しています。季節によって内容が変わる場合があります。

焼津市

ESORA COFFEE

エソラコーヒー

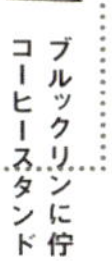

ブルックリンに佇むようなコーヒースタンド

細い路地に入った民家の一角にある自家焙煎コーヒー店。外と地域に開かれたオープンスタイルで営業する。店主の鳥居さんは、西焼津にある「カフェバール・ジハン」のコーヒーを飲んで衝撃を受け、この業界に飛び込んだという。コーヒーは選びやすいよう「軽め」「ちょうどいい」「重め」「プレミア」の4種類で日によって異なる。カフェ等に卸すようにブレンドも行っているが、店内でいただけるのは単一品種のみ。近隣で営業する「あとりえmomo」の特製ワッフルとのセットメニューがおすすめだ。「コーヒーの焙煎は自己表現ができるツールでもある」と話す鳥居さんの焙煎は、唯一無二の味。シトラスのような香りのキリマンジャロ、カシスのようなまろやかなコロンビア、ハーブのようでありつつもどっしりとしたマンデリン……。コーヒーの味を再発見させてくれそうだ。

1_「コーヒーとワッフルのセット」900円。ワッフルはかき氷の時期は販売休止　2_「珈琲かき氷」900円（夏季限定）　3_インテリアはどれもとことんこだわっているそう　4_毎週木・土曜は、コーヒーと食とのペアリングと題して、ピザ、牛すじ煮込み、日本茶スイーツなどのお店が隣に出店

かつて物置だった場所を改装して営業

ESORA COFFEE

焼津市吉永2089
営10:00～18:00
休水曜　P7台
HPhttps://shop.esoracoffee.com
【テイクアウト】全品可能
【クレジットカード】不可
【席数】テーブル13席、テラス8席
【煙草】全席禁煙
【アクセス】東名高速大井川焼津藤枝スマートICより車で約10分

ショップDATA

住所、電話番号、定休日、駐車場、URLなどを記載しています。お店の詳しい情報として、クレジットカードが使えるかなどがここでわかります。

アクセスMAP

お店へ行くまでの簡略化した地図を入れています。

写真

実際にお店に行き、撮りおろした写真です。写真についている番号とリンクさせて内容を説明しています。

Menu

おすすめメニューやテイクアウトメニューを記載しています。テイクアウトメニューがない場合にはメニュー一覧を載せています。金額は基本的に税込みです。料理名の記載は基本的にお店での書き方に合わせています。

本書に掲載してある情報は、すべて2022年8月現在のものです。
お店の移転、休業、またメニューや料金、営業時間、定休日など情報に変更がある場合もありますので、事前にお店へご確認してからお出かけください。

本当は教えたくない
喫茶店

ひとりでコーヒーを飲みながら、のんびり過ごせる窓辺の席。
お腹が空いたら、おいしい食事も出てくるし、
少し時間が余った時に、思わず立ち寄りたくなる、
そんなお気に入りの喫茶店が1軒あるだけで、
ちょっと毎日が楽しくなりませんか？

焼津市

caffè bar JIHAN

カフェバールジハン

王道メニューに光るこだわり
瀟洒な純喫茶でホッと一息

黒を基調にしたスタイリッシュでシンプルな内装。
沼津のデザイン事務所「ケンブリッジの森」の設計

焼津で人気の名店。「静岡でコーヒー文化を浸透させたかった」と語る店主・鈴木一昭さんは10年もの間コーヒー教室を開講し、焙煎の指導を行ってきた。いま静岡県内で門下生が営業している自家焙煎コーヒーの店は数多く、その影響力は大きい。コーヒーとサンドイッチ、甘味を三本柱に掲げているメニューは「ザ・喫茶店」といったラインナップで、手作りにこだわる。焼きたての薄焼きタマゴにトマト、ハムとキュウリを挟んだミックスサンドや、ピザトースト、ボリュームたっぷりのクリームあんみつ、ふわふわのシフォンケーキがその代表だ。コーヒーはもちろん自家焙煎。「冷めてもおいしく、ミルクも砂糖もいらない。それが私の目指す味」という鈴木さんの焙煎は、豆が持つキャラクターを活かしつつ、毎日飲んでも飽きない味わいを意識したものになっている。ひとつひとつに詰まったこだわりを感じる店だ。

上_様々なコーヒーを取り揃えている　下_ラテアートもお手のもの

1_エスプレッソマシーンはイタリアの「ブラックイーグル」を使用。ここから生まれる本場の味わいをぜひ　2_店舗東側のテラス席。界隈の特徴である強い西風の影響を受けないので、快適に過ごせる　3_4杯分のエスプレッソを使った「生キャラメルのシフォンケーキ」417円

caffè bar JIHAN

焼津市中新田139-9
☎非公開
🕙10:00～19:00(L.O18:00)
休金曜　P14台
HPfacebook.com/caffe.bar.jihan
【テイクアウト】一部可
【クレジットカード】不可
【席数】カウンター6席、テーブル15席
【煙草】禁煙
【アクセス】東名高速焼津ICより車で15分

Recommend Menu

ミックスサンド

「ミックスサンド」637円。オーダー後にパンをカットして卵を焼き、具材を挟んだシンプルなサンド

エスプレッソ　300円
カフェ・コン・パンナ　409円
コピ・ルアック
（期間限定 要予約）1,818円
ピザトースト　506円
クリームあんみつ　700円

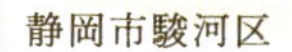
静岡市駿河区

ZEDARBERG COFFEE BAR
杉山珈琲店

ゼダーバーグ コーヒーバー スギヤマコーヒーテン

イギリスのパブをイメージしたコーヒー店

イギリスの古いパブをイメージ。ドライフラワーを入れることで少し甘さをプラスしている

店主の杉山さん。店名の「ZEDARBERG」は「杉山」をドイツ語表記し、それを英語読みしたもの

外国を訪れたような気分にさせてくれるコーヒー店。店内に入ると、店主の杉山さんが「いらっしゃいませ」ではなく「こんにちは」と声をかけてくれる。料金は先払い制なので、まずはレジで注文。「前オーダー制にしたのは一人で営業しているのもありますが、そこで話をすることでお客さまとお話ができればと思って。ここで話が盛り上がってしまうことも多いですね」と笑う。一杯ずつのために豆を挽き、そして丁寧にハンドドリップで淹れていく。コーヒーの濃さやミルクの量に希望があれば調整してくれるので、気軽に相談してみよう。出てくるまでに少し時間がかかることもあるが、アンティークの雰囲気を楽しみながら、本を読んだり、訪れた人と一緒におしゃべりを楽しんだりするとよいだろう。帰りがけには「良い一日を」と声をかけてくれる。そんな店主の心遣いが嬉しくなる。

1_コーヒーとミルクの割合は好みで調整してもらえる。ミルクが多くても値段は同じ　2_店主の祖父母が営んでいた商店を改装して2020年にオープン　3_夏季限定のジンジャーレモネード。レモンに塩を少しまぶしてあり、ソルティードックのような味わいに。冬はホットジンジャーが登場する

1

2

3

ケーキはオリジナルでつくってもらってるそうで日により異なる

ZEDARBERG COFFEE BAR 杉山珈琲店

静岡市駿河区新川1-21-15
☎054-266-5790
営10:00〜19:00　P3台
休月・火曜　※祝日は営業、翌日休み
HP Instagram
「@zedarberg_coffee_bar_renew」

【テイクアウト】全品可能
【クレジットカード】可
【席数】カウンター4席、テーブル8席
【煙草】全席禁煙
【アクセス】JR静岡駅から徒歩20分

Recommend Menu
おすすめメニュー

コーヒー　500円
カプチーノ　500円
アイスカフェオレ　500円
ジンジャーレモネード
（夏季限定）　500円
抹茶ラテ　500円

静岡市葵区
Cafe SCENE
カフェシーン

一杯一杯を丁寧に
上質な炭火焙煎コーヒー

マンデリンやキリマンジャロ、ブレンドなど各種コーヒー（500円）は丁寧なハンドドリップで提供

1
2 3

長年、静岡市の街中で営み、常連客に愛されてきた「Cafe SCENE」が2018年、場所を新たにリニューアル・オープン。黒塗りの外装、外から店内が見えないよう設計されたアプローチ、その佇まいはまさに、隠れ家喫茶と呼ぶにふさわしい。ジャズが流れるカウンターを主体にした空間、マスター上原さんの接客も、移転前と変わらず心地がいい。
「とにかくコーヒーを一杯ずつ丁寧に淹れたくて。だから移転前のようにモーニングやランチはやっていません」と上原さん。神戸の「萩原珈琲」から仕入れている、炭火焙煎の豆を使ったこだわりのコーヒーは、コクとキレがあり味わい深い。焙煎は中煎りから深煎り。豆の鮮度にも気をつかいながら、喫茶らしい味を提供している。パウンドケーキやシフォンケーキ、タルトなど、コーヒーとよく合うオリジナルケーキとともに、ゆっくりと流れる時間を満喫しよう。

1_50～60年代のジャズをメインにBGMが流れ、老若男女、さまざまな客層に愛されている店。昔ながらの喫茶の雰囲気　2_素朴な味わいのオリジナルホームメイドケーキ「ベイクドチーズケーキ」250円と「コーヒーフロート」600円　3_エントランス　4_コーヒーにはアメリカホワイトハウスご用達レノックス社のコーヒーカップを使用　5_一口最中150円　6_外観

Cafe SCENE

静岡市葵区北安東1-29-6
☎054-295-7886
🕘9:00～21:00
休水曜　P2台
HPameblo.jp/cafe-scene
【テイクアウト】可
【クレジットカード】不可
【席数】カウンター7席、テーブル4席
【煙草】禁煙
【アクセス】城北高校前バス停より徒歩すぐ

Recommend Menu
おすすめメニュー

温州みかんジュース　500円
ココア　550円
アメリカンコーヒー　500円
葡萄ジュース　500円

静岡市葵区

喫茶ペーパームーン

ぺーぱーむーん

酒とコーヒーと本と音楽
個性あふれるレトロ喫茶

店主の"好き"がいっぱいの空間は、不思議と居心地がいい

静岡市の街の外れにたたずむ一軒。店内に足を踏み入れるとまず、漫画から美術書、写真集まで、あまりの本の多さに驚く。そしてどこか味のある雑貨や古道具がそこかしこに置かれ、丹念に観察していると、まるで大人の秘密基地に潜りこんだ感覚になる。「なんか変わったお店だな、と感じてもらえたらいい。"文化のデパート"といった感じの場所にしたい」と、語る店主・吉崎さんの個性であふれた空間は、居るだけで楽しい気分にさせてくれる。

営業は14時からだが、遅がけのランチもOK。「今週のごはんセット」のほか、裏メニューもあるのでチェックしたい。ドリンクは自家焙煎のストレートコーヒーに加えてビールやウィスキー、ブランデーなど酒類も豊富に楽しめる。50〜60年代のカントリーフォークやジャズ、ブルースなど、ターンテーブルから流れる音楽に聴き入りながら、思い思いの時間を過ごせそうだ。

1_裏メニューの「タマゴサンド」、ドリンクとセットで1,100円。ダシを含ませて焼きあげたふんわり卵がたまらない　2_レトロな雰囲気の店内　3_濃厚なチョコレートの味わいを堪能できる「ムースショコラ」、400円のドリンクとセットで750円　4_入り口はこじんまり

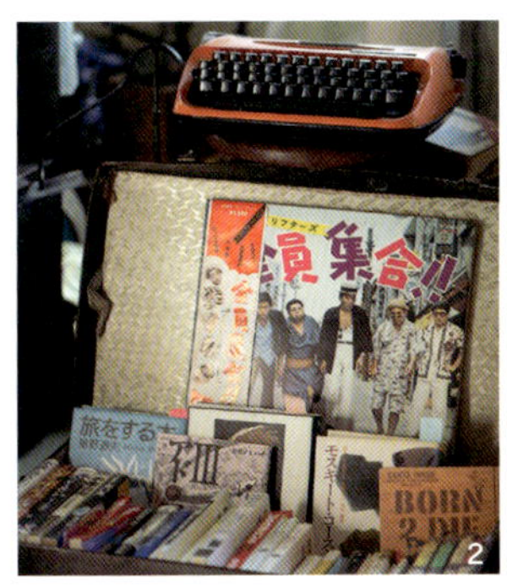

喫茶ペーパームーン

静岡市葵区常磐町3-6-13
☎054-270-9306
営14:00〜24:00(水曜のみ16:00〜)
休月曜　P なし
HP kousukeyoshizaki.wixsite.com/papermoon

【テイクアウト】不可
【クレジットカード】不可
【席数】カウンター5席、テーブル3席
【煙草】分煙
【アクセス】JR静岡駅より徒歩15分

Recommend Menu
おすすめメニュー

バーボンコーヒー　500円
チャイラム　600円
グレジューバナナ　550円
今週のごはんセット　950円〜
フレンチトースト　700円

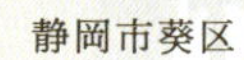

静岡市葵区

DOLPHY

ドルフィー

開店40年、ジャズが流れる昔ながらの喫茶店

店内は天井が高く開放的でゆったりとしている

常連客に愛され続ける、開店から40年にもなる老舗喫茶。コミック喫茶としてスタートした名残で、店内隅の棚には何十冊ものコミックが並んでいる。窓際や壁際にはレトロな雑貨がディスプレイされ、18インチの大きなスピーカーからはジャズが流れている。メニューもナポリタンなど懐かしさを感じられるものが多く、まさに「昔ながらの喫茶店」という雰囲気を満喫できる。

店主の萩原さん夫婦が開店以来こだわってきたのは、すべて手作りであること。スパゲティやピラフ、ドリア、ハンバーグなどメニューは数多くあるが、どれも手間暇を惜しまず作っており、サラダに使われるドレッシングまでおいしいと評判だ。それぞれに固定ファンがついている中でも、特に人気の一品を挙げるならば、まろやかなデミグラスソースで味わう煮込みハンバーグ。丁寧に練られたハンバーグのジューシーな食感がたまらない。

2

3

4

1

1_昔ながらの味わいを楽しめる「煮込みハンバーグ」。ランチタイムはごはん、サラダ、ドリンクが付く「ライスセット」で1,200円　2_こちらも人気の根強い「カルボナーラ」、950円。ランチタイムは「スパゲティセット」でサラダ・ドリンク付き1,050円　3_スイーツもアップルパイ、ショートケーキをはじめ豊富にそろう　4_外観。看板も出ていて分かりやすい

DOLPHY

静岡市葵区瀬名川2-27-35
☎054-263-0207
🕒11:00～21:00
（LO20:30、ランチタイム～15:00）
休月・火曜　P12台
HPなし

【テイクアウト】可
【クレジットカード】不可
【席数】カウンター6席、テーブル34席
【煙草】全席禁煙
【アクセス】瀬名北バス停より徒歩すぐ

Recommend Menu
おすすめメニュー

ナポリタン　900円
トマトクリームソース　1,000円
エビドリア　900円
野沢菜ピラフ　900円
レアチーズケーキ　340円

静岡市葵区

泊まれる純喫茶 ヒトヤ堂

HITOYADO

ゲストハウスを併設した、昔ながらの喫茶店

あたたかみを感じられる空間。

その名の通り、ここは泊まれる施設を有した喫茶店。店主の村松佐友紀さんと小島有加さんが自分たちで、老舗の喫茶店が入っていたビルを改装し、2018年6月にオープンさせた。「ゲストハウスをやりたくて、場所を探していたら、ここの外から見える佇まいを気に入りました。喫茶の雰囲気は残したかったから、そのまま喫茶もやってしまおうということになって」と、村松さん。その空間は入口ドアからインテリア、小物ひとつひとつにいたるまで昭和レトロな趣があり、どこか過ぎた歳月を感じさせるものになっている。

「喫茶店にはあってほしいと思うものを」と村松さんが語るメニューも、トーストやメロンクリームソーダ、自家製珈琲ゼリーなど、懐かしさを感じられるものばかり。モーニング営業もあり、朝早くから利用できるのもうれしい。純喫茶の存在がめずらしくなっている昨今、貴重な存在になりそうだ。

1_モーニングタイムでは通常、好きなトーストとドリンクの組み合わせで、500円でオーダーできる。写真は「あんこクリームチーズトースト」と「生姜のチャイ」で、それぞれ＋100円　2_サイフォン珈琲は地元「hug coffee」のブレンドを使用　3_SNS映え必至の「メロンクリームソーダ」　4_喫茶スペースの奥にゲストハウスのロビーがある

泊まれる純喫茶 ヒトヤ堂

静岡市葵区七間町16-8
☎054-687-8458
営7:30〜18:00
休火曜　P なし
HP hitoyado.com
【テイクアウト】不可
【クレジットカード】不可
【席数】カウンター5席、テーブル8席
【煙草】全席禁煙
【アクセス】JR静岡駅より徒歩15分

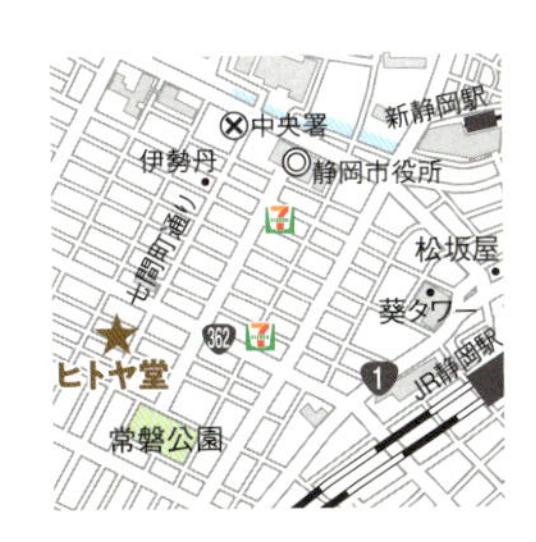

Recommend Menu
おすすめメニュー

サイフォン珈琲　420円
生姜のソーダ　500円
バナナミルク　500円
ピザトースト　500円
自家製珈琲ゼリー　500円

静岡市葵区

カレーと喫茶 あまりろ

カレーときっさ あまりろ

目指すはプロと家庭料理の間のカレーライス

上_昔の喫茶店を思わせる店内　下_カレーの2種盛り950円。トッピングに玉ねぎピクルス100円を追加すると、後味がさっぱりする。半熟たまごやチーズも人気がある

以前、喫茶店だったり洋食店だったりした空き店舗を改修したお店。昔の喫茶店を思わせるような雰囲気で落ち着く。店内に入ると、女性店主の小亀さんが出迎えてくれる。あまりろのカレーはスパイスが効いているという感じではなく、食べてみると普通のカレーと感じるかもしれない。でもこの「普通」が奥深い。よく味わってみると、コクがあり、旨味がある。お店と家庭の中間の味を目指したそうで、具材も豚肉、玉ねぎ、にんじん、じゃがいもと基本中の基本。ただし、にんにくや生姜、クミンに、バターで炒めたしいたけペーストとココアパウダーを使うことでコクが出る。甘口でつくってあるので、子どもからお年寄りまで愛される味だ。お店には、時おりお鍋を持ったお客さんも訪れる。「家族2人だからカレーをつくっても余るから」。そんなふうにルーだけを買い求める方も少なくないようだ。

1_カウンター席に座って、店主と会話を楽しむのもおすすめ　2_2021年4月にオープンしたお店　3_店主の小亀さん自身が描いたかわいいイラストのメニュー。実は美大出身なのだそう　4_自家製チーズケーキ500円、季節のジュース500円（甘夏、レモン、梅など季節により異なる）

カレーと喫茶 あまりろ

静岡市葵区鷹匠3-3-14
☎054-295-5600
営10:00〜15:00（L.O14:30）
※テイクアウトは予約にて17:30まで受取可
休水・木曜　P4台
HP Instagram「@curry_amarillo」

【テイクアウト】全品可能
【クレジットカード】不可、PayPayは可
【席数】カウンター6席、テーブル8席
【煙草】全席禁煙
【アクセス】静岡鉄道新静岡駅、あるいは日吉町駅から徒歩約10分

Recommend Menu
おすすめメニュー

自家製カレー	850円
ドライカレー	850円
バナナシェイク	550円
自家製チーズケーキ	500円
季節のジュース	500円
リモンチェッロ	600円

島田市

charleston

チャールストン

たくさんの本と緑に囲まれて
ホッとする喫茶時間を

リトルプレス、小説、食やコーヒー関連の書籍、エッセイなどの本がたくさん。家具は店主自ら古材を使ってリメイクしたものが多い

古材を活かしたテーブルや椅子、心地よく響くジャズ、たくさんの本や雑貨、日差しが注ぐ窓際の多肉植物、熱帯魚が泳ぐ水槽、サイフォンで淹れるコーヒーの香り…。どこか懐かしさも感じさせてくれる空間は、抜群に居心地がいい。「自分がここにいたいなって思える店作りをしています」と語る店主が、島田市にオープンさせて33年。ファンに長く愛されてきた店だ。

そんなチャールストンの定番は、香味野菜でダシをとり長時間煮込んだオリジナルカレーのソース、シンプルに味付けしたトマトソースとデミソースの3種類から選べるオムライス。食感豊かな黒米をオムレツで包んだ看板メニューだ。14時から登場する、バゲットを使ったフレンチトーストもオムライスと並ぶ人気の品。藤枝の焙煎所「ナカヤマコーヒー」から仕入れるこだわりのコーヒーもおいしい。やっぱり年月を経ている良さがある店は心地がいい。

1_オーダーごとにフルーツをカットする「小さなフルーツのフレンチトースト」1,300円～　2_コーヒーはストレート2～3種、ブレンド2種のラインナップ　3_天然色素のシロップで作る「クリームソーダ」650円　4_「オムライスのランチセット」レギュラーサイズ1,400円＋「とろける炙りチーズのトッピング」180円

charleston

島田市東町833-2
☎0547-37-1213
🕘11:30～17:00（LO16:00）
（14:00まではランチタイム・
14:00～フレンチトースト・スイーツ）
休水、木曜　P7台
HP InstagramのID:cafe_charleston
【テイクアウト】不可
【クレジットカード】不可
【席数】テーブル12席　【煙草】禁煙
【アクセス】新東名高速藤枝岡部IC
または島田金谷ICより車で30分

Recommend Menu
おすすめメニュー

オムライス風カレー
レギュラー　1,400円
デミソースのオムライス
レギュラー　1,400円
シングルコーヒー　550円
ハーブティー　500円
フレンチトースト 各種　750円～

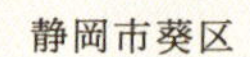

静岡市葵区

純喫茶のい

ジュンキッサノイ

メニュー、佇まい、全てがレトロな純喫茶

たっぷりのクリームにフルーツが添えられた「チョコパフェ」570円。レトロなガラス越しに柔らかな日が差す窓際席で

カフェではなく、喫茶店と呼ぶのがふさわしい気がする「純喫茶のい」。2017年に駒形通商店街にそっとオープンして、今年で6年目を迎える。メニューにはコーヒー、紅茶を始め、ミックスジュースやチョコパフェ、サンドイッチと、「喫茶店にあったらいいな」と思うものばかりが並ぶ、心憎いラインナップ。

同じ場所にもともと純喫茶があり、当時のお店の壁やガラス、椅子などは極力残している、と店主。とはいえ、椅子はリペアし、カウンターやトイレは新しくなり、レトロでありながら今の時代にフィットした居心地の良さ。ブックカフェともいえそうな蔵書の数々も魅力的だ。街を歩き疲れたらすっと入ってコーヒーを飲んだり、本を読んだり、お腹を満たしたり。いい意味でお客を放っておいてくれるから独りでも気兼ねなく滞在できる。奥の個室風の席は人数が多いときにぜひ!

1_カウンターにも本があり居心地のいい店内。すっかり長居してしまいそう　2_エントランスから純喫茶らしい風貌で街に佇む　3_喫茶店の定番といえばコーヒーチケット。常連と、ふらりと立ち寄るフリーのお客とのバランスも良さそう　4_モーニングセットは飲み物に＋150円でハム玉子トーストサンドが付く。思い切って頬張りたい嬉しいボリューム　5_喫茶店の定番「クリームソーダ」(480円)ももちろんメニューにある

純喫茶のい

静岡県静岡市葵区駒形通2-7-20
054-275-2100
9:00～19:00
休 木曜
P なし　HP なし
【テイクアウト】なし
【クレジットカード】不可
【席数】カウンター5席、テーブル15席
【煙草】全席喫煙可
【アクセス】静岡駅(北口)より徒歩16分

Recommend Menu
おすすめメニュー

コーヒー　ホット・アイス　400円
カフェ・オー・レ　ホット・アイス　400円
ウインナコーヒー　470円
オレンヂジュース　430円
バナナジュース　450円
ハム玉子トーストサンド　620円

静岡
カフェ時間

こだわりのお店案内

川根本町

folk knot cafe STIR

フォークノットカフェ スター

白い天井と壁、木の床と家具に彩られた、開放的な空間

多くの観光客でにぎわいを見せる、大井川鐵道千頭駅目の前にあるカフェ。そんな人の往来や大井川の川の様子を眺めながら、ゆっくり過ごしたいお店。常連のお客さんも多く、メニューやディスプレイはニーズに合わせて少しずつ変化させているそう。1週間後、そしてまた1ヵ月後など、何度来ても変化を愉しめるよう工夫している。メニューは、地元の自家焙煎コーヒーや川根茶、川根紅茶、川根本町産の野菜や柚子などを使用し、地元愛を感じる内容。味はもちろん、見た目もこだわっているので、写真を撮りたくなること間違いなし。なお、地元のジビエなどを使ったランチメニューも提供しているが、2人でお店を切り盛りしているため、混雑する時間帯は入店できないことも。14時以降のカフェタイムはお客さんも少なくなるので、その時間帯を狙って訪れよう。お店の最新情報は公式Instagramでチェック。

川根本町への旅途中に
立ち寄りたいカフェ

folk knot cafe STIR

川根本町千頭1216-21　観光協会2F
📞050-5894-2622
🕒ブランチ10:00〜11:30、
ランチ11:30〜14:00、カフェ14:00〜16:00（LO15:30）
休月・火曜 ※臨時休業あり。詳細はInstagramで確認を
Ⓟ道の駅 音戯の郷のP利用
HP Instagram「@folkknotcafe_stir」

【テイクアウト】ドリンクや焼き菓子はテイクアウト可
【クレジットカード】可
【席数】テーブル12席、テラス10席
【煙草】全席禁煙
【アクセス】大井川鐵道千頭駅から徒歩1分

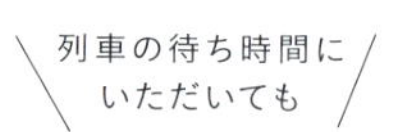

1_カリッ、ふわっ、とろりとした新食感のハワイアンスコーン　2_お水代わりに、地元の茶農家さんを応援したいという想いから、お水ではなくお茶2種の飲み比べができるようになっている。川根本町を中心とした観光情報のコーナーも　3_ディスプレイにもなっている水出しコーヒーは、8時間かけてゆっくりと抽出している。苦味以外にも甘味も感じる味　4_コーヒーは川根本町にある自家焙煎コーヒー店「KANATA COFFEE」や富士宮の「MIFUJIYA COFFEE」のものを使用

Recommend Menu
おすすめメニュー

- 大井川クリームソーダ　720円
- 水出しアイスコーヒー　550円
- もち米粉トースト　450円
- ハワイアンスコーン　420円
- 気まぐれランチ
  単品1,300円　セット1,600円～

大井川クリームソーダ720円、ホイップとシナモンをトッピングしたバタートースト530円。外はカリッと中はモチっとしていて甘じょっぱい味

静岡市駿河区

PANTARITA

パンタリタ

ほくほくスコーンが絶品異国情緒あふれる雑貨カフェ

ローズマリーが揺れる、煉瓦の敷かれたアプローチを先へ進むと、そこにはヨーロッパの片田舎を思わせる素敵な空間が。店主の落合さん夫婦が育てている果実やハーブの実る庭、古道具やかごバッグなどたくさんの暮らしのアイテムが集まった雑貨スペース。アーチの通路をくぐったその奥に、緑豊かな庭を望める「ティールーム」がある。とてものどかな雰囲気で、庭にやってくる鳥のさえずりが心地よく聴こえてくる。

雑貨店として30年、カフェとして25年を営んできたパンタリタの代名詞は、庭で採れる果実を使った自家製ジャムとクロテッドクリームを添えた、自家製スコーン。「ここへ来たらコレ一択」という長年のファンも多いことだろう。ほかほかでしっとりとした食感のなかに、ギュッと詰まったおいしさ……。味わい深い紅茶とともに、イギリス文化・アフタヌーンティーの気分でのんびり堪能しよう。

左_自然光が差し込む店内の一角。人それぞれにお気に入りの場所がある　右_「スコーン」400円と「ダージリン」600円。紅茶は春・夏・秋、新茶を農園単位で仕入れている仙台の紅茶専門店「ガネッシュ」から取り寄せているもの

緑がいっぱいの心地よいティールーム

1_しっとり濃厚な「バナナとナッツのチーズケーキ」、酒かすで香りづけした「シフォンケーキ」、生地に煎茶を使ったビターな「ガトーショコラ」、それぞれ350円　2_雑貨スペースでは古道具や生活雑貨を販売。落合さん夫婦が手作りしたかごバッグや木彫りの小物も　3_ジャムやコンポートなどの販売も　4_庭では柚子やイチジク、ブルーベリー、ラズベリー、ベルガモットなどを育てている

PANTARITA

静岡市駿河区栗原36-1
054-262-1789
11:00～18:00
休火曜、ほか不定休
P5台
HPpantarita.exblog.jp

【テイクアウト】不可
【クレジットカード】不可
【席数】テーブル22席、テラスも可
【煙草】禁煙
【アクセス】静岡鉄道県総合運動場駅から徒歩10分
※価格は全て税抜き価格

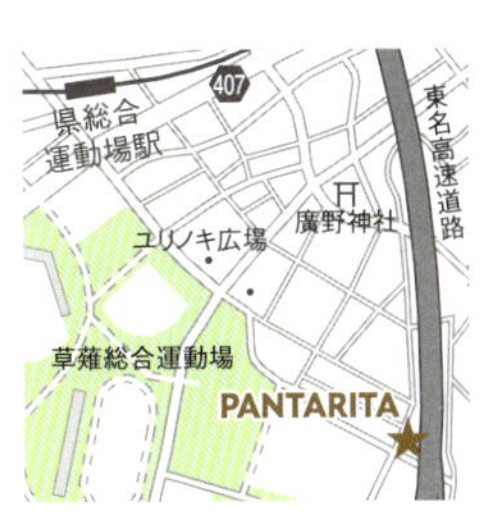

藤枝市

低糖質おやつとコーヒーLocco

ていとうしつおやつとコーヒー ロッコ

小麦粉・砂糖不使用の低糖質のお菓子

お菓子が大好きな奥さまの響子さんは、1型糖尿病の発症を機に低糖質のお菓子を研究。2016年に藤枝駅南口に夫婦で実店舗をオープンしたあと、2020年に蓮華寺池公園近くに移転した。砂糖の代わりにエリスリトールやラカント、ステビアといった天然由来の甘味料を、小麦粉代わりに小麦ふすま粉や大豆粉、アーモンドパウダーを使用。ミネラルも豊富になる上、しかもおいしいとあって、感度の高い女性を中心に、糖尿病の人や糖質制限をしている人からも評判だ。ほかに、藤枝・瀬戸ノ谷の平飼い卵や北海道産純正生クリームを使用するのど、材料にはこだわりがある。コーヒーは、静岡出身のコーヒーハンター・川島良彰氏の「ミカフェート」のもの。好みや要望に合わせて豆を選んでくれてハンドドリップで淹れてくれる。つくり手のやさしさが伝わるお菓子を味わいに行ってみて。

1_ドリップコーヒー、チャイ、オーガニックみかんジュース、抹茶ラテなど色々なドリンクをご用意　2_小麦粉の代わりに大豆粉の風味を活かした大豆粉レモンパイと大豆粉ドーナツ　3_外観写真。店主の畑山さんご一家

人気のニューヨークチーズケーキと抹茶クリームチーズケーキ

4

5

6

4_白黒ゴマのチーズケーキ、スパイスチャイチーズケーキ。新商品を常に開発している　5_タルト生地、カカオマスから作るふすま粉のショコラタルトは手間と拘りが詰まっている　6_コーヒーと相性の良いティラミスチーズケーキは一年を通じて人気　7_ミカフェートのコーヒ豆を使用した拘りのカフェラテ　8_モルテックス仕上げのカウンターがお洒落な店内

＼外にテラス席あり／

焼き菓子セットのBOXもご用意。贈り物に

低糖質おやつとコーヒーLocco

藤枝市藤枝5-5-23nicica内
☎054-669-7451
営11:00～18:00(L.O17:00)
休月・火曜、第2・4日曜
P2台　※正面玄関の向かい
HPhttps://www.locco.biz
【テイクアウト】全品可能
【クレジットカード】可
【席数】カウンター4席、テーブル2席、テラス2席
【煙草】全席禁煙
【アクセス】蓮華寺池公園駐車場より徒歩2分

Recommend Menu

おすすめメニュー

- チーズケーキ各種　410円～
- 全粒粉のロールケーキ　350円
- カフェラテ　500円
- 黒ごまラテ　400円
- オーガニック抹茶ラテ　500円
- 国産はちみつハーブティー　450円

静岡市葵区

満緑カフェ

みりょくカフェ

ながくまオージャスプレート2,500円。この日のランチには、テイクアウトも可能な、満緑メンチ300円も添えてあった。舞さんのお母様直伝のレシピで、隠し味に地元の味噌を使用しているそう

JR静岡駅から車で40分ほど、玉川沿いに北上していった先。河原沿いに建つ民家を活用した河合さん夫妻が営むカフェがある。以前は奥さまの舞さんと舞さんのお母さまと二人で営業していたが、2022年2月にカフェの裏に宿をオープンしたのを機に、夫婦での営業スタイルにシフト。料理はお母さま直伝の味で、食べた人が元気になってくれたらと愛情が込められているのを感じる。玉川地区で採れた野菜や、自家栽培の野菜、果物などを使用し、自然を意識した盛り付けで提供。少しずついろいろな種類のおかずがのったランチプレートなど、月替わりで用意している。料理が来るのを待つ間、外をぼんやり眺めたり、ちょっと歩いてみたりするのもまたいい。豊かな自然を見ていると、リフレッシュできること間違いなし。小雨程度の天候の日も、霧立つ自然風景が美しくなかなかいい。

1_近くの「キャンドルショップ　tawan」の商品や、地元の方がつくる木製品の販売も　2_季節のロールケーキ500円は「アトリエ・クレーヴ」の手づくり。ゆずサイダー500円も自家製　3_バスクチーズケーキ500円と、梅レモンティーソーダ600円（夏季限定）　4_自家製梅シロップでつくる、梅マロウブルー550円

満緑カフェ

静岡市葵区長熊1508
☎080-1581-4853
🕐11:00～16:00 土・日曜のみ営業
休月～金曜　P約10台
HPhttps://miryoku-cafe.shopinfo.jp
【テイクアウト】あり
【クレジットカード】不可
【席数】テーブル17席、テラス2席
【煙草】全席禁煙
【アクセス】新東名高速道路
新静岡I.C.から車で25分

Recommend Menu
おすすめメニュー

- ながくまオージャスプレート　2,500円
- バスクチーズケーキ　500円
- 梅マロウブルー　550円
- 玉川紅茶　650円
- 満緑メンチ　300円

※ランチは提供数に限りがあるので予約が確実

焼津市

ESORA COFFEE

エソラコーヒー

細い路地に入った民家の一角にある自家焙煎コーヒー店。外と地域に開かれたオープンスタイルで営業する。店主の鳥居さんは、西焼津にある「カフェバール・ジハン」のコーヒーを飲んで衝撃を受け、この業界に飛び込んだという。コーヒーは選びやすいよう「軽め」「ちょうどいい」「重め」「プレミア」の4種類で日によって異なる。カフェ等に卸すようにブレンドも行っているが、店内でいただけるのは単一品種のみ。近隣で営業する「あとりえmomo」の特製ワッフルとのセットメニューがおすすめだ。「コーヒーの焙煎は自己表現ができるツールでもある」と話す鳥居さんの焙煎は、唯一無二の味。シトラスのような香りのキリマンジャロ、カシスのようなまろやかなコロンビア、ハーブのようでありつつもどっしりとしたマンデリン……。コーヒーの味を再発見させてくれそうだ。

ブルックリンにあるようなコーヒースタンドをイメージ

ブルックリンに佇むような コーヒースタンド

1_「コーヒーとワッフルのセット」900円。ワッフルはかき氷の時期は販売休止　2_「珈琲かき氷」900円（夏季限定）　3_インテリアはどれもとことんこだわっているそう　4_毎週木・土曜は、コーヒーと食とのペアリングと題して、ピザ、牛すじ煮込み、日本茶スイーツなどのお店が隣に出店

かつて物置だった場所を改装して営業

ESORA COFFEE

焼津市吉永2089
⏰10:00〜18:00
休水曜　P7台
HP https://shop.esoracoffee.com
【テイクアウト】全品可能
【クレジットカード】不可
【席数】テーブル13席、テラス8席
【煙草】全席禁煙
【アクセス】東名高速大井川焼津藤枝スマートICより車で約10分

Recommend Menu
おすすめメニュー

- ハンドドリップコーヒー Hot/Ice　550円
- こだわりのカフェオレ Hot/Ice　500円
- ワッフル　400円
- チョコレートクッキー　350円
- コーヒーかき氷 （夏季限定） 900円

静岡市清水区

GREEN 8 CAFE

グリーンエイトカフェ

お茶農家だからこその
多彩なお茶&和紅茶メニュー

1_ストレートティー各550円（左から、和紅茶、深蒸し茶、ほうじ茶） 2_クラフトティーコーラ、ティージンジャーエール各660円 3_バジルチキンサンド各種ストレートティーとセットで1,200円 4_ツナマリネサンド 各種ストレートティーとセットで1,200円 5_6_お店から徒歩6分 テラス席

静岡市清水区を流れる興津川上流の山里、両河内。お茶栽培が盛んな地域で、かねてより、静岡県下で最も高値がつく上質な茶の産地として知られてきた。山あいに位置するために霧が発生しやすく、やさしい日差しに包まれた茶畑が、繊細で渋みの少ない茶葉を育てている。

ここで、8軒のお茶農家が集まって発足させた会社が「グリーンエイト」。香り高く旨み豊かな両河内産のお茶を、もっと世に広めるための場所として、2015年にこのカフェを開店させた。栽培、収穫から加工、販売までを自分たちで行い、品種や蒸し方、焙煎度合いの違いなどによって、多彩なお茶メニューやアレンジティーを提供。つゆひかり、やぶきたなどの茶葉それぞれの個性を引き出し、すっきりと飲みやすく仕上げている和紅茶もオススメだ。静岡県内の名店から取り寄せているおいしいお菓子やオリジナルスイーツとともに、のんびりと味わって。

GREEN 8 CAFE

静岡市清水区和田島349-4
☎054-395-2203
◷10:00～16:00
休月曜　P6台　HP green8.bz

【テイクアウト】可
【クレジットカード】不可
【席数】カウンター6席、テーブル4席
【煙草】禁煙
【アクセス】東名清水ICより車で15分

Recommend Menu
おすすめメニュー

● 和紅茶パフェ
単品1,000円　セット1,200円

和紅茶のゼリー、和紅茶に合う季節のフルーツ、タピオカ、和紅茶のソフトを盛った、自慢の和紅茶を存分に味わえる一品

静岡市清水区

Chikage Coffee Roastery

チカゲコーヒーロースタリー

巴川と次郎町通りの間の住宅地にたたずむ自家焙煎コーヒー店。女性焙煎士のチカゲさんが焙煎するコーヒーは、春の息吹ブレンド、梅雨のやまぎりブレンドなど、季節を意識した名前が付けられている。同じ産地の豆でも季節や年によって味が変わる。だから、その時に合わせたブレンドをつくるそうだ。丁寧に欠点豆を取り除き、小ロットで焙煎。そして、チカゲさんが淹れてくれるコーヒーは、とても丁寧で繊細な味が口の中に広がる。コーヒーもおいしいが、チカゲさんがつくるスイーツも見逃せない。バスクチーズケーキ、ガトーショコラ、スコーン。日によって異なるが、訪れた際はぜひスイーツと一緒にいただきたい。

また、時々、夜カフェも営業する。同じ清水にある天然酵母パンの店「ルシャンボラン」のクロックムッシュに、サラダなどがつき、アルコールも提供されるそうだ。

知り合いとともにセルフリフォームしたという店内。無骨なコンクリートにブルーグレーの壁色が柔らかさをプラスしている

1_ドライフラワーやアンティーク調のライトにセンスを感じる　2_パッケージージは一つひとつ手書きし、マスキングテープでデコレーションしている　3_シナモンロール300円。映画「かもめ食堂」のレシピをベースに、白神天然酵母を使用し、よりおいしくアレンジ。黒糖を使っているためやさしい味　4_ビーカーに入って出されるアイスコーヒー。ドリンクには静岡市葵区大岩にある「アトリエ プティカラン」のシナモンサブレが付く

女性焙煎士の感性が光る繊細な味のコーヒー

マリメッコのコップがかわいい

Chikage Coffee Roastery

静岡市清水区清水町4-2
☎090-8144-0687
Ⓟ5台
HP Instagram「@chikage_coffee」

【テイクアウト】ドリンクと一部フードは可
【クレジットカード】可
【席数】カウンター5席、テーブル4席
【煙草】全席禁煙
【アクセス】静岡鉄道新清水駅から徒歩17分
※営業日、営業時間、駐車場の詳細はInstagramで確認を

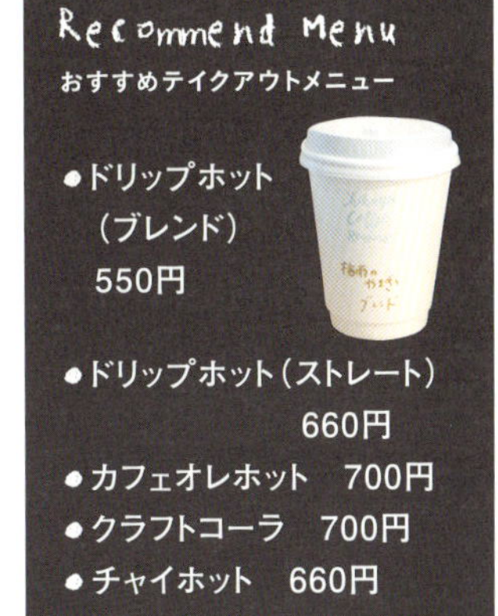

Recommend Menu
おすすめテイクアウトメニュー

- ドリップホット（ブレンド）550円
- ドリップホット（ストレート）660円
- カフェオレホット　700円
- クラフトコーラ　700円
- チャイホット　660円

静岡市清水区

和CAFE 茶楽

わかふぇ ちゃらく

抹茶の風味を活かした「抹茶のチーズケーキ(静岡茶セット)」900円。濃厚な味わい、なめらかな口溶け

老舗製茶問屋が手がける「茶スイーツ」を堪能

1925年創業の老舗茶問屋・茶楽 山梨商店が営む、旧東海道興津宿の一軒。その名のとおりお茶を楽しむ喫茶として、さまざまな客層から親しまれている。ここでは清水の両河内、本山、春野など山の銘茶から初倉、森、菊川まで、茶楽 山梨商店で扱う静岡各地のお茶を提供。好みのお茶、あるいは気になるお茶を選んで、フードメニューとセットにできる。その静岡茶や厳選抹茶をベースにした和スイーツが豊富で、中でも地元の洋菓子店「ラ・ローザンヌ」とのコラボで生まれた「抹茶のチーズケーキ」がオススメ。抹茶の風味を損なわないよう低温でじっくり焼き上げたチーズケーキは、チーズの旨みとお茶の渋みが絶妙なバランスで溶け合う。ほかにも、抹茶を使用したパフェやおしるこ、アフォガードまで、お茶をたくみなアイデアで活かしたメニューが魅力。季節がわりのアレンジティーもあり、多彩なお茶の楽しみ方を提供してくれる。

お茶体験イベントを定期開催中。(要予約)産地のによる香味の違いを愉しむ飲みくらべ会や、親子で楽しめるラテ教室やサングリア教室など、季節替わりでお茶体験イベントを様々開催しお茶を楽しむカフェとして県外客からも人気を博している

1_オシャレなパッケージデザインのおみやげも各種そろっている　2_離れのカフェ席　3_木のぬくもりが心地いい店内

和CAFE 茶楽

静岡市清水区興津本町158-1
☎054-369-2301
🕐10:00～17:00
(ランチ11:30～14:00)
ショップは9:00～18:00
休火・水曜　P9台
HPchaluck.jp
【テイクアウト】一部可
【クレジットカード】可
【席数】カウンター2席、テーブル20席
【煙草】禁煙
【アクセス】JR興津駅より徒歩10分

Recommend Menu
おすすめメニュー

● 茶楽パフェ&ほうじ茶サングリアセット
1,100円

静岡抹茶を練り込んだ濃い抹茶アイスに抹茶のパウンドケーキ、抹茶ババロアなど抹茶をふんだんに使用した「茶楽パフェ」と、上茎ほうじ茶をフルーツティ風にアレンジした「ほうじ茶サングリア」のセット

静岡市葵区

Caffè Bar ROSSi

カフェバールロッシ

2022年、10月人宿町へ移店予定。ここではイタリアでバリスタの仕事を学び、焙煎も手がける店主の小山弘さんが、おいしい一杯を淹れてくれる。店のコンセプトは「グラスを片手になにげない会話を楽しめるバルのような場所」。コーヒーは楽しい時間を過ごすためのお供だ。

「イタリアで食べたもの飲んだもの、感動をできるだけ、そのまま伝えたい」と語る小山さん。それだけにカプチーノやカフェ・コン・パンナ、マロッキーノなど、エスプレッソのバリエーションを楽しめるのがうれしい。それらとともに味わえるフードメニューのなかでも人気の品は、限定10食の「大人のティラミス」。エスプレッソを染みこませた生地とチョコレート、マスカルポーネのハーモニーがたまらない。

イタリアでバリスタを学び、焼津の「カフェバール・ジハン」で焙煎に出会ったという店主の小山さん（旧店舗にて）

路地裏にたたずむ隠れ家で
香り豊かな自家焙煎珈琲を

1_エスプレッソシフォンの生地とマスカルポーネが層になった「大人のティラミス」661円と「カプチーノ」472円　2_エスプレッソにたっぷりの生クリームをのせた「カフェ・コン・パンナ」425円　3_「キューバサンド風パニーニ」661円。パリッと焼いたチャバタでローストポークやベーコン、チーズ、ピクルスを挟んでおり、食感豊かに楽しめる

Recommend Menu
おすすめメニュー

- ブレンド　472円
- パンナコッタ　567円
- エスプレッソ　331円
- ビスコッティ　567円
- マロッキーノ　689円

Caffè Bar ROSSi

静岡市葵区人宿町2-3-2　人宿マート2階
☎非公開
🕒12:00～19:00（金曜は～21:00）
休水曜・木曜
Ｐなし
HP facebook.com/CaferossiMCA

【テイクアウト】コーヒー豆、飲物のみ可
【クレジットカード】可、paypay可
【席数】カウンター6席、テーブル8席、テラス6席
【煙草】禁煙　【アクセス】JR静岡駅より徒歩8分
※価格は全て旧店舗のものです。

静岡市葵区

Conche

コンチェ

カカオ豆からチョコレートが商品になるまでを一貫して一つの工房で製造する「ビーントゥバー」を実践しているチョコレート店。静岡市駿河区高松から2020年に葵区七間町へ移転。品数も規模も広がり、今ではすっかり知られた存在になった。ガーナ、タンザニア、ハイチ、グレナダ、ベリーズ、エクアドル、ベネズエラ、インドといった世界のフェアトレードカカオ豆にこだわり、店内で焙煎。カカオと砂糖のみを使用した無添加の手づくりチョコレートは、一般的に市販されているチョコレートとは風味の感じ方が全く違う。いただく際は、ぜひチョコレートの香りを嗅ぎ、口の中でゆっくりと溶かすようにして味を感じることをおすすめする。なお、脱プラスチックパッケージで、チョコレートはマイ容器持参を推奨。容器代は別になっているので、自宅用であればぜひ持参を。

木とアイアンを組み合わせたぬくもりあふれる

1_ボンボンショコラ(9粒+カカオニブクッキー)1,980円　2_産地を選べるチョコレートアイス407円　3_カカオ・コーラ451円　4_テリーヌショコラ302円、カカオシュークリーム324円、カカオマドレーヌ324円　5_カカオ豆や細かくくだいたカカオニブの販売も。料理やお菓子の材料にするのはもちろん、ナッツ感覚でそのままいただくのもおすすめ　6_産地別チョコレートやいちご、桜エビ、みかんなどの静岡素材を組み合わせたチョコレート

ビーントゥバーでつくる チョコレート専門店

静岡みかんのドライフルーツチョコレート 237円

Conche

静岡市葵区七間町16-7
OMACHIビル1A
☎054-293-4910
⌚11:00〜18:00
休月・火曜　※祝日の場合は営業
Pなし
HPhttps://www.conche.net

【テイクアウト】あり
【クレジットカード】可
【席数】カウンター3席、テラス2席
【煙草】全席禁煙
【アクセス】JR静岡駅から徒歩15分

Recommend Menu
おすすめメニュー

- ホットチョコレート　506円
- カカオ・コーラ　451円
- カカオ・チャイ　451円
- アイス(シングル)　407円
- ドリンク&チョコレートセット 1,320円

※掲載価格は全てイートイン価格

静岡市清水区

nogi農園

ノギノウエン

富士山に見立てた米粉のシフォンケーキ「れっどふじさん」371円。シフォン生地で生クリームとあんこを挟み、生クリームとレッドオーレのトマトジャムをトッピング

1_手作りの家具にエアプランツや雑貨を配した、温かみのある店内　2_動物性食材を使わずに味噌で味を加え、ハーブで香りづけした「とまとスープ」350円。ほかのメニューにセットで300円　3_レッドオーレをたっぷり使用した「究極のとまとホットサンド」550円　4_外観。周囲の景色の中に自然と溶け込んでいる

美しい富士山の姿を望む静岡市清水区三保。この地で営むトマト農家「nogi農園」が手がけるカフェでは、丹精こめて栽培しているトマトを活かした軽食やスイーツを楽しめる。nogi農園のトマトはオーガニックな土づくりのもと、有機100%の肥料とクロマルハナ蜂による自然受粉で育て、真っ赤に熟してから収穫したもの。開店時間まぎわともなれば、そのおいしさを求めてやってきた人達が入口に並びはじめる。わずか8席のかわいらしい空間は手作り感満載で、どこかホッとするぬくもりを感じさせてくれる。

メニューの主な食材となるのは、甘みと酸味のバランスがすばらしい中玉トマト「レッドオーレ」。それをふんだんに使った定番のホットサンドは感動の味わいだ。米粉のシフォンケーキやパフェ、濃厚なスムージー、豆乳仕立てのスープ。素材の味。味わってみれば、nogi農園のトマト愛を感じるだろう。

nogi農園

静岡市清水区三保3121-7
☎054-368-6727
🕐14:00〜17:00
休日〜金曜　P6台
HP instagram.com/nogi_farm_kiyoe_/?hl=ja
【テイクアウト】可
【クレジットカード】可
【席数】カウンター2席、テーブル6席、テラス3席
【煙草】禁煙
【アクセス】三保車庫バス停より徒歩すぐ

Recommend Menu
おすすめメニュー

- とまとスムージー　330円
- 厚焼きたまごの とまとホットサンド　650円
- ベーコンポテト とまとホットサンド　650円
- とまとパフェ　1,000円

● 絶品 トマトジャム!

カフェメニューでも使用しているトマトソースとジャムのほか、オリーブオイルで漬けこんだセミドライトマト、クローブやシナモン、カルダモンを加えたトマトジャムを販売。各種550円

静岡市葵区

HiBARI BOOKS&COFFEE

ひばりブックスアンドコーヒー

本とコーヒー、ギャラリーが一緒になった書店。オーナーである太田原さんが1冊1冊セレクトした本が集められており、一般的な書店では見かけない本も多い。もちろん、よく見かけるような雑誌や有名な作家の本、絵本、漫画、図鑑だってある。でも、いずれも"何かしらの店主のこだわり"を感じるような気がする。何か探したい本があるから訪れるというより、何か新しい出会いを求めに行くというのが正しいかもしれない。それは本だったり、何かのアイデアだったり、新しい興味・関心との出会いだったり……。老若男女問わず、愉しめるようになっている。

本との出会いはもちろん、奥のカフェ&ギャラリースペースも注目したい。若手作家やアーティストなどの展示からトークイベント、ライブを企画。感性が広がりそうだ。

18坪の新刊書店。詩集から外国文学、人文書、ノンフィクション、サイエンスエッセイ、デザイン書、画集、写真集、絵本、児童読み物などをそろえる。あまり知られていない小さな出版社の本も置いてある

本とコーヒーとアートに出会う 新しい形の書店

1_コーヒーは、店主のお兄さんが営む東京・下北沢の「COFFEA EXLIBRIS」のもの。シングルオリジンの豆をフレンチプレスで淹れてくれる　2_コーヒービア700円。辛口のジンジャエールにエスプレッソを合わせたもの。2軒隣りにある「スヰング洋菓子店」のケーキをいただくこともできる。ケーキ店がオープンしている時間帯のみ提供　3_過去にギャラリー開催したアーティストなどの作品グッズも販売　4_カフェ&ギャラリースペース。ドリンクとともに購入した本とここで愉しむこともできる。電源もあり

ヒバリのイラストが印象的な外観

Recommend Menu

おすすめメニュー

- アメリカーノ／ディカフェ　500円
- シングルオリジン　650円
- ラテ／ソイラテ　600円
- ケーキ（サバラン、フルーツタルト、オランジュなど）　220円～

HiBARI BOOKS&COFFEE

静岡市葵区鷹匠3-5-15 第一ふじのビル1F
☎054-295-7330
🕒11:00～20:00　休月曜　P2台
HP https://hibari-books.shop-pro.jp
【テイクアウト】あり　【クレジットカード】可
【席数】カウンター3席、テーブル2席
【煙草】全席禁煙
【アクセス】静岡鉄道日吉町駅から徒歩3分

島田市

Cafe ひぐらし

CAFE HIGURASHI

作家手作りの品や愛らしい小物、
鉄道ファンが撮影した写真などの
雑貨でいっぱいの空間

現役の蒸気機関車が運行する大井川鐵道、その川根温泉笹間渡駅に、かつて駅長の宿直室として利用されていたスペースを活かしたカフェがある。たくさんのかわいらしい雑貨や本、レコード、鉄道写真が展示されたにぎやかな空間は、歳月を感じさせる木造駅舎から想像しがたい雰囲気で、初めて来る人は驚くことだろう。店内からは笹間渡駅に停車する列車が目の前に。タイミングが合えば蒸気機関車の姿も見られるとあって、大井川鐵道ファンにはお馴染みの一軒でもある。

コストパフォーマンスの良さも魅力のメニューは、各種トーストやサンドイッチなど、店主が毎朝焼く手作りパンを活かしたものがメイン。特にふわふわのパンをとろ～りチーズとホワイトソースで味わうパングラタンはぜひ試してほしい一品だ。川根の茶屋が開発したという炭火焙煎のコーヒーや川根紅茶とともに、駅舎で過ごす時間をおいしく満喫しよう。

1_自然体で営む店主の児玉有子さん　2_SLは、往路では笹間渡駅を通過、復路では停車する　3_お皿にもっちりしたパンをしきつめ、ホワイトソースとチーズをのせて焼いたパングラタン。エビとベーコンの2種類がある。600円
4_川根産ブルーベリーをのせた、ボリュームのある「ブルーベリーのチーズケーキ」は濃厚でしっとりとした食感。コーヒーとセットで600円

Recommend Menu
おすすめメニュー

- ハニートースト　417円
- たまごハムサンド　700円
- ピザ各種　700円～
- 川根紅茶　350円

Cafe ひぐらし

島田市川根町笹間渡463-1
☎0547-53-2237
🕒11:30～17:00　予約営業
休日・月曜、祝日（ほか臨時休業あり）
Ⓟ5～6台
HP facebook.com/CafeHigurashi

【テイクアウト】可
【クレジットカード】不可
【席数】カウンター7席、テーブル6席、テラス1席、個室1室
【煙草】禁煙、テラスのみ喫煙可
【アクセス】大井川鐵道笹間渡駅舎内

PLAY BALL! CAFE

プレイボールカフェ

焼津駅前通り商店街にある、カフェ＆コミュニティスペース。かつて薬局だった建物をリノベーションしており、当時を思われる棚なども一部、再利用している。ここには老若男女問わずさまざまな人が訪れ、過ごし方もいろいろ。友人とゆったり過ごしたり、お仕事や勉強の場として利用したり、その場での出会いを楽しんだりなど、思い思いに過ごして。オーダーを受けてから豆を挽き、ハンドドリップで淹れるコーヒーをはじめ、カフェラテ、静岡みかんジュースクラフトコーラなどドリンクを中心に提供。食べ物の持ち込みも可能なので、近隣でパンやお菓子を買ってきて、コーヒーを飲みながら過ごすのもよさそう。人と人とが繋がるイベントも多く、屋台を並べてマルシェやワークショップ、ギャラリー、交流会なども開催される。SNSで情報をチェックしてから訪れよう。

さまざまな使い方ができる多様性に富んだカフェ

焼津商店街の中にある、人と人との交流の場

1_Webやグラフィックなどのデザインとまちづくりなどを行う会社が運営していることから、クリエイターとも繋がれる場所。クリエイター作品やデザイン書籍も置いてある　2_隣にある手作りパンの店「パリジャンマツダ」の商品を買ってきて一緒に食べても　3_アイスカフェラテ500円　4_埼玉から焼津に移住してきた店長の水野さん

商店街にある
レトロな雰囲気

Recommend Menu
おすすめメニュー

- ハンドドリップ　500円
- カフェラテ　500円
- チャイ　500円
- クラフトコーラ　500円
- 静岡みかんジュース　500円

PLAY BALL! CAFE

焼津市栄町4-2-6
PLAY BALL! DEPARTMENT 1F
☎080-9585-0369
🕒11:00～17:00(L.O.16:45)
休不定休　※Instagramで確認を
P商店街共通駐車場を利用
HP Instagram「@playballcafe」

【テイクアウト】全品可能
【クレジットカード】可
【席数】カウンター4席、テーブル10席、テラス2席
【煙草】全席禁煙　※テラスのみ喫煙可
【アクセス】JR焼津駅南口から徒歩5分

静岡市葵区

Maruzen Tea Roastery

マルゼンティーロースタリー

創業70余年になる老舗製茶問屋・丸善製茶が2018年1月にオープンさせた、お茶とティージェラートの店。ハンドドリップ日本茶専門店「東京茶寮」を運営する「LUCY ALTER DESIGN」が、明るく開放的な内外装デザインから店舗コンセプト、商品ラインナップにわたってプロデュースした。

おもしろいのは、茶葉の焙煎温度を段階的に分けて製造していること。ティージェラートはノンロースト＝0℃から玉露の焙煎＝80℃、煎茶の焙煎＝130℃、ダークロースト＝200℃など、8段階に分けて提供している。「急須でお茶を飲む機会が少なくなっている昨今、どうにかしてお茶に親しみやすくしたい」と考えてたどりついたスタイルは画期的だ。上質な茶の産地として知られる、静岡県は両河内産の一番茶のみを使用したティージェラート。焙煎温度によって変化する味わいをぜひ試してみてほしい。

白とコンクリートを基調にした、クラフト感のある開放的な店内。気軽にテイクアウトもできる

両河内産の浅蒸し茶を使用した、8段階あるティージェラート。写真は左から玉露の焙煎＝80℃、マイルドロースト＝130℃、ブラウンロースト＝160℃、ダークロースト＝200℃。なかでも焦げないギリギリの焙煎温度で香ばしさを際立たせたダークローストが人気だ。ほかに抹茶の焙煎＝0℃や、玄米を加えたライスローストなどもある。シングル460円、ダブル・ミニトリプル720円

焙煎温度別のグラデーション。お茶とジェラートの専門店

Maruzen Tea Roastery

静岡市葵区呉服町2-2-5
☎054-204-1737
営11:00〜18:00
休火曜　P なし
HP maruzentearoastery.com
【テイクアウト】一部可
【クレジットカード】可
【席数】テーブル12席、カウンター4席
【煙草】禁煙
【アクセス】JR静岡駅より徒歩10分

1_お茶は一杯ずつハンドドリップで提供するスタイル　2_白とコンクリートを基調にした、クラフト感のある開放的な店内。気軽にテイクアウトもできる　3_店内にある焙煎機。青々しいフレッシュさを感じられるライトローストから、香ばしいダークローストまでの焙煎を調整する

1

2

3

Recommend Menu
おすすめメニュー

●ドリンク　510円

ドリンクのお茶は両河内産の浅蒸し茶（左）、森町産の深蒸し茶（右）を選ぶことができ、さらに焙煎温度を6段階から選べる

焼津市

ごはんときっさ　あたびーcafe

ごはんときっさ　あたびーカフェ

潮風感じる住宅地の中で沖縄料理を味う

タコライス（単品）980円。卵はオムレツか目玉焼きかを選べる。ハーフサイズの場合は780円。長谷川さんの娘さんが沖縄に住んでいたため、それが縁で沖縄料理の魅力にはまったそう

焼津にある浜当目海水浴場からほど近く。店主の長谷川さんのお義父さまが、かつて酒屋を営んでいた場所を改装してオープン。沖縄から材料を取り寄せ、沖縄のあたたかな家庭料理を味わえるカフェだ。沖縄のソウルフードでもあるタコライス、沖縄そば、沖縄風やきそば、沖縄骨汁定食といったご飯ものから、沖縄の黒糖を使った手づくりスイーツ、シークワーサーなどの沖縄らしい果汁を使ったドリンクなどを提供。添えられた小鉢をはじめ、からだによくて落ち着く味。お味噌汁は少し甘めの麦味噌を使っているそうだ。どれも丁寧につくられたやさしい味わいで、店主の人柄が伝わってくる。テイクアウトも可能なサーターアンダギーは休日は販売しているが、平日の場合は事前予約を。夏期はシロップからつくった沖縄風かき氷も登場する。

1_レトロな雰囲気の店内。窓側のカウンター席は一人で利用するには居心地のよい席　2_黒糖三昧500円。黒糖ゼリー、黒糖で煮た金時豆、ジーマミ豆腐、炭塩と黒蜜をかけたアイスに、ちんすこうが添えてある。ちんすこうを砕いて食べると食感がアクセントになっておすすめ　3_ティーソーダシークワーサー500円。シーズンのうちに生のシークワーサを取り寄せ、半月切りに冷凍保存したものを添えてある。生ならではのさわやかな香りのよさ　4_店内の奥にある小上がりの畳スペースは、かつて酒屋だった時代には囲炉裏があり、ここで近所の人たちが食べ物を持ち込んでお酒を飲んでいたという。古さの中にかわいらしい雑貨が溶け込み、居心地よい空気感になっている

店名のあたびーは
沖縄の方言で
カエルの意味

ごはんときっさ　あたびーcafe

焼津市浜当目4-13-18
☎054-639-6768
🕐11:00～18:00
休木曜　※不定休あり　P20台
HP https://www.instagram.com/atabee0409/

【テイクアウト】一部ランチは可
【クレジットカード】不可
【席数】カウンター3席、テーブル14席
【煙草】全席禁煙
【アクセス】JR焼津駅から徒歩20分

Recommend Menu
おすすめメニュー

- タコライス（ドリンク付）　1,350円
- 沖縄そば（ドリンク付）　1,350円
- 黒糖三昧（ドリンクセット）　900円
- シークワーサーソーダ　500円
- タンカンソーダ　500円

※定食は単品、ハーフサイズもあり

藤枝市

すろーcafé もみの木

スローカフェ　モミノキ

店主の高橋さんは、県内のフランス料理店で修行を積んだ後、1996年に洋菓子店をオープン。アレルギーがある子どもたちにもおいしいケーキを味わってもらいたいと乳製品や白砂糖不使用のお菓子を手がけた。豆乳使用のスイーツはぱさっとした食感になりがちだが、こちらのスイーツはふわっとした食感。評判がよかったという。

「もともと母がマクロビを実践していたんです。体にいいものを伝えたい。そんな思いが強くなり、無添加の食事を提供するカフェを作ろうと思いました」。2014年にカフェとして同じ場所で再始動。野菜は100%藤枝産の無農薬野菜。生産者が直接お店まで届けてくれる新鮮なものだという。「時間がある時はお客様と会話するように心がけ、食について話すようにしています」。気になる料理があったら、レシピを聞いてみてもよいそうだ。

木のぬくもりを感じるナチュラルな店内。飾られた雑貨もかわいい。農家との交流も深めてほしいと料理教室やワークショップも企画しているという。家でも簡単にできる料理を学べるので、興味がある方はお店のホームページやSNSをチェックしてみて

地球と体に優しい
地元産食材の魅力を発信

1

2

3

4

1_「フルーツ全粒粉パンケーキ」1,100円。アイスクリームは、放牧しながらストレスフリーな環境で飼育している袋井の「デンマーク牧場」のものを使用　2_「デリプレート」デリと3種5種と選べる、サラダ、ライス付き（3種　940円　5種　1,270円）　3_「スペシャルチャイ」600円。無農薬のシナモン、ブラックペッパー、クローブ、カルダモン、ブラッククミンを一緒に煮込んで作っている。　4_「手土産を買いたい」とプレゼント用のギフト品や、テイクアウトの利用も多い　5_無農薬果実で作った自家製シロップが店内にずらりと並ぶ　6_無農薬のお米を中心とした餌を食べて育った平飼い卵をお店でも販売

Recommend Menu

おすすめメニュー

- デリ5種盛りプレート　1,270円
- デリ3種盛りプレート　940円
- ドリア　1,090円
- ピザ　770円
- ピタパン　770円
- ビーガンマフィン　440円

5

6

すろーcafé もみの木

藤枝市志太1-6-7
℡054-645-2723
営木、金、土曜11:00～17:00
休日～水曜
P10台
HP https://www.mominoki.net/
https://www.instagram.com/slow_cafe_mominoki/

【テイクアウト】可
【クレジットカード】不可
【席数】テーブル14席、カウンター3席
【煙草】全席禁煙
【アクセス】JR藤枝駅から車で約8分
※価格は全て税抜き価格

静岡市駿河区

Bliss café et vin

ブリスキャフェトヴァン

古い民家をリノベーションした店内に、北欧アンティークを中心とした家具を配し、センス良くシックな雰囲気を演出。大通りから狭い路地を少し入った隠れ家的な立地も相まって、外の音がまったくといっていいほど聞こえない。「時間を気にせずくつろいでほしいから、店内に時計を置かないようにしました」と語る、店主の武田昌之さん。まさに、時を忘れて非日常を味わえる空間だ。

武田さんが目指すカフェの形は、人と人との繋がりが生まれる場所。そのため、生産者の顔が見えること、生産者の考えを大切にしている。農家と消費者の橋渡し役になることまでを意識しながら、素材を選び、質の良いサービスを提供している。遠州夢咲牛の牛スジカレーやローストビーフ、御前崎のトマト農家から仕入れるトマトを使用したパスタなど、静岡産の素材で作る料理の数々を味わってみてほしい。

ソファ席にテーブル席、カウンターも配したスタイリッシュな店内。さりげないディスプレイにもセンスが光る

時間を忘れてくつろげる居心地抜群の非日常空間

1_掛川栗の渋川煮を使ったモンテビアンコ 670円。 2_自然農法のワインや吟醸梅酒をはじめ、酒類のラインナップも豊富 3_煎りたて、挽きたて、淹れたてにこだわっているコーヒー。パナマのゲイシャ種やコピ・ルアクなどめずらしい豆も扱っている 4_静岡産牛肉&豚肉を使用した手ごねハンバーグ。フルーティーなデミグラスソースで味わう。ランチセットでライスまたはライ麦パン、サラダ、スープ付き1,380円。また「Caféでラーメン!?」と題し、ランチタイムに駿河湾で釣れた「天然真鯛らーめん」ディナーでは珈琲油を抽出した「珈琲香るらーめん」も女性に人気（いずれも曜日限定）

Recommend Menu
おすすめメニュー

- 本日のおすすめパスタランチ 1,280円
- 遠州夢咲牛の牛すじカレー 1,030円
- 丸池製茶の御前崎和紅茶 580円
- さかいさんちのフレッシュ! トマトジュース 490円
- お茶屋茶匠の珈琲「椿」 760円
- そのまんまイチゴかき氷 850円

Bliss café et vin

静岡市駿河区南安倍3-6-43
☎054-266-6263
営9:00～21:00（LO20:00）
休火曜 P10台 HP cafe-bliss.net
【テイクアウト】可 【クレジットカード】不可
【席数】カウンター6席、テーブル19席
【煙草】全席禁煙
【アクセス】東名高速静岡ICより車で5分
※価格は全て税抜き価格

TAKE OUT

M's cafe

エムズカフェ

一人でも
長時間過ごせるクラフト空間

雰囲気がある空間なので、SNSを通じて県内外から訪れるお客様も多い。以前は、同じ焼津市内でクラフト体験ができる同じ店名の雑貨店を営んでいたそう

1_「本日のはらぺこ」1,300円。鉄板ナポリ、ベーグルプレート、ホットサンドプレートなどからセレクト。コーヒーor紅茶付き　2_「季節のフレンチトースト」800円。チョコソース、キャラメルソース、メイプルから好きなフレーバーを選ぶ　3_店主の鈴木さんはステンドグラス作品も製作し、販売している　4_店内にはうつわや仲間の手仕事雑貨なども並ぶ。

2020年3月、焼津市石津西公園「みなく～る」の隣に移転オープン。女性店主の鈴木さんが知人とともに前店舗の倉庫をリノベーションした経験を生かし、移転先の店内もスケルトン状態から手を加えた。前店舗のガラス戸などを使い、似た雰囲気を残しつつも新たな空間に。女性が一人でものんびりできる場所を作りたいと、座席はカウンターと2名までの小さな席のみ。鈴木さんはカフェオーナー以外にもさまざまな顔を持ち、年数回テーマを絞ったイベントを企画したり、ステンドグラスのワークショップ開催、お花を組み合わせたウェディングアイテムをプロデュースを行ったりと多面的。

「私一人で営業しているので、お料理の提供に時間がかかることも。毎日頑張っている女性が読書したり、ぼーっとしたりしてくつろいでもらえたらいいなと思っています」と話す。

SNSも
チェックして!

M's cafe

焼津市石津447A
なし（Instagramからメッセージも OK）
12:00～18:00
休 不定休
（Facebook、Instagramにてお知らせ）
P 2台
HP Facebook、Instagramあり

【テイクアウト】可（ドリンクのみ）
【クレジットカード】可
【席数】テーブル2席×2、カウンター4席
【煙草】全席禁煙
【アクセス】東名高速道路焼津IC
より車で19分

Recommend Menu
おすすめメニュー

- 本日のコーヒー　450円
- ほうじ茶ラテ　500円
- そらいろクリームソーダ　550円
- バナナはちみつスムージー　500円

焼津市

TAKE OUT

カントリーオーブン

COUNTRY OVEN

ハイカーにおなじみの焼津・満観峰麓にひろがる小さな集落、花沢の里。2014年に国の重要伝統的建造物群保存地区として選定された地域で、旧東海道の傾斜に沿って築かれた石垣の上に、木造瓦屋根の家並みが続いている。古道に並行して流れる花沢川のせせらぎ、花木豊かな山林。古い家並みと織りなすその美しい風景は、まるで過去にタイムスリップしたかのように感じさせ、訪れた人の心を癒してくれる。

カントリーオーブンは、そんな山里の中腹にある一軒。店主の自宅の庭先と、築140年を超えるなまこ壁の蔵を開放して営んでおり、ハイカーの休憩スポットとしても親しまれてきた。ここで味わえるのは、美味しい水で淹れたコーヒーやハーブティー、山や地域で採れる季節の果実を使った自家製スイーツなど。BGM は風に揺れる木々、鳥のさえずり、川のせせらぎ。心が芯からホッとする、格別の時間を過ごせる。

花沢の里駐車場から歩いて約15分。
集落の風景を楽しみながら進もう

美しい山里で過ごす
心がホッとする時間

1_庭先で供されるコーヒーやハーブティーが癒しの時間を演出する　2_皮も丸ごとジャムにして焼き上げた「ネーブルのケーキ」200円。このリーズナブルさもうれしい限り。コーヒーは300円　3_3種類のスイーツ少しずつとコーヒー付き「おやつセット」600円　4_石臼や和箪笥、鍬などの古道具を活かした蔵の空間

Recommend Menu
おすすめメニュー

- ジャスミンティ　300円
- ハーブミックスティ　300円
- ロイヤルミルクティ　400円
- ビスコッティ　200円
- おやつセット（コーヒー付）　600円

カントリーオーブン

焼津市花沢18
080-5139-3670
10:00〜16:00　休不定休
P花沢の里駐車場利用
HP instagram@countryoven_niwacafe

【テイクアウト】可（シフォンケーキなどの焼菓子）
【クレジットカード】不可、paypay可
【席数】テーブル8席、テラス11席
【煙草】一部喫煙可
【アクセス】東名高速焼津ICより車で15分
花沢の里駐車場から徒歩15分

静岡市葵区

Spice Curry & Cafe 陽だまり

スパイスカレー アンド カフェ ひだまり

静岡から梅ヶ島方面へ向かう県道29号線沿いに、朽木さん夫妻が営む古民家カフェがある。奥さまはカレーマイスターや和漢薬膳師、野菜ソムリエなどの資格を持ち、スパイスが持つ効果を考えながらスパイスを調合。肉から出る脂の量によってスパイスの効き方が違うそうで、日々、おいしいと思える味を研究中。野菜は自家栽培のものや地元のものを中心に使用しており、ご飯は玄米から毎日精米しているので、味がまた違う。添えられたレモンをしぼれば、味変も楽しめる。

食後やカフェタイムにはティラミスがおすすめ。奥さまの師匠であるシェフ直伝のレシピで、おいしいと評判。「ドライブの途中、ちょっと立ち寄って、元気のもとになってもらえればと思って営業しています」と話す。夫婦２人で営業しているため、時間がかかることも。時間に余裕があるときに訪れるのがベスト。

オリジナルキーマカレー（ミニサラダ付き）1,050円。季節の野菜をたっぷり使用し、野菜不足の人におすすめ。デザートセット、ドリンクセットなどもあり

1_自家製ティラミス400円。香り高いコーヒーやオクシズの和紅茶と一緒にいただきたい。他にガトーショコラやチーズケーキ、シフォンケーキなどが用意されていることも　2_夏季限定のかき氷は、自家製のいちごや梅シロップ、白玉だんごやあずきがのった宇治金時が登場予定　3_靴を履いたまま座れるテーブル席やカウンター席、ゆったり時間を過ごせる座敷席などがある。混み合う週末や人数が多いときは事前予約が確実

古民家カフェでいただくスパイスカレー

Recommend Menu
おすすめメニュー

- チキンカレー　1,050円
- チャイ　500円
- ラッシー　350円
- テイクアウトカレー（平日限定）900円

※キッズカレーは前日までに要予約

Spice Curry & Cafe 陽だまり

静岡市葵区横山139-1
☎090-6354-0029
11:00～17:00（L.O.16:30）
休月・火曜　P18台
HP https://www.spicecurryandcafehidamari.com/

【テイクアウト】カレーのみ可
【クレジットカード】不可
【席数】カウンター4席、テーブル18席
【煙草】全席禁煙
【アクセス】新東名高速新静岡ICより車で約15分

築120年の古民家を改装したお店

藤枝市

TAKE OUT

neu coffee

ノイコーヒー

ゆったり足をのばせる 子連れ歓迎の古民家カフェ

築50年を超える民家を改装。無垢の杉のフローリングでゆったり足をのばせる

1_店主の渡村さん。「ここを人と人との出会いが生まれる場にできたら」と語る　2_「ノイドッグ（プレーン）」1,250円。　3_「キャラメルナッツ」「チョコレートナッツ」などワッフルは4種類、写真は「ブルーベリーワッフル」。ランチデザートなら＋350円で付けられる　4_生クリームたっぷりの「バニララテ」500円

neu coffee

藤枝市大西町3-1-7　☎054-330-1539
営10:00〜16:00　休日・月曜　P15台
HPfacebook.com/neucoffee
【テイクアウト】可　【クレジットカード】不可
【席数】座敷28席、テーブル8席、カウンター4席
【煙草】禁煙
【アクセス】東名高速大井川焼津藤枝スマートICより車で10分

庭先から、ワクワクさせてくれるような店構え。昔ながらの日本家屋をリノベーションした空間で、フルフラットの店内は、大きな窓からたっぷりと差し込む日差し、木のぬくもりが心地いい。広い座敷席にはキッズスペースや絵本もあり、子連れでも気兼ねなく過ごせる。「子育て世代の居場所づくりもできたら」と店主の渡村恵さん。2017年のオープン以来、小さな子を持つ親向けのワークショップを開講しながら、新たな交流が生まれる場として営んできた。

看板メニューは、4種類あるボリューミーなホットドッグ。パンをソフトかハードで選ぶことができ、ソーセージの種類を生ソーセージとフランク、白フランクの3種類から選べるので、全部で24通りの味わいがある。ぜひ全制覇を目指して通ってみたい。デザートには、オーダー後に焼き上げるふわふわのワッフルを。ハンドドリップで淹れるコーヒーとともに楽しんで。

Recommend Menu
おすすめメニュー

- チーズドッグ　1,300円
- チリドッグ　1,350円
- チリチーズドッグ　1,400円
- ワッフルセット　700円〜
- キャラメルマキアート　480円

静岡市葵区

Crear Coffee Stop

クレアールコーヒーストップ

静岡伊勢丹から徒歩すぐのビル2階にありながら、ひっそりと静かな隠れ家的空間。ここはコーヒー好きならおなじみに違いない、自家焙煎コーヒーショップ「創作珈琲工房くれあーる」直営のコーヒースタンドだ。

オーナーの内田一也さんは、コーヒーの国際品評会審査員として招聘されている、日本人焙煎士として第一線にいる存在。その確かな技術のもとで提供される上質なコーヒーを、ジャパンバリスタチャンピオンシップで静岡県勢歴代最高位を獲得したバリスタ、森尾彰太さんが淹れてくれる。それだけでなく、生豆は内田さんやその仲間たちが生産地でカッピングしたものを直接買い付けており、農産物としての品質も折り紙つき。生豆と焙煎とドリップ、三拍子そろったコーヒーを堪能できる。品評会入賞銘柄など、世界的に評価の高いコーヒーも各種取りそろえている。ここにしかないスペシャルな一杯を味わおう。

コーヒーの飲み比べをする「カップオブエクセレンス体験会」や「コーヒーの淹れ方講座」を毎月開催している。日時はインスタグラムで確認しよう

1

2

ロースター直営カフェで世界基準の一杯を味わう

3

4

1_季節ごとに焼津の「いすとわーるだむ～る」から仕入れているスイーツを用意している。写真はイチゴのムース　2_品のある酸と甘さを楽しめるカプチーノ、510円　3_コーヒー豆200g以上の購入でテイクアウトドリンクが一杯サービスになる　4_バリスタの森尾彰太さん

Recommend Menu
おすすめメニュー

- エスプレッソ ダブル　410円
- アイスラテ　510円
- 選べるコーヒー　610円～
- エスプレッソアイスクリーム　510円
- 季節のアイスクリーム　600円

Crear Coffee Stop

静岡市葵区両替町1-6-10 M2ビル202
℡080-4899-1947
営11:00～19:00
休日、月曜　P なし
HP instagram.com/crearcoffeestop_official/?hl=ja
【テイクアウト】可
【クレジットカード】可
【席数】テーブル8席、カウンター6席
【煙草】禁煙
【アクセス】JR静岡駅より徒歩15分

静岡市葵区

DAYBREAK Liquor&Coffee

デイブレイクリカーアンドコーヒー

壁一面のCDと都会的でスタイリッシュな店構えが目を引く、コーヒーもアルコールも気軽に楽しめる一軒。ブロックとコンクリートむき出しの空間はハイセンスでモダンな印象だが、ここにはおひとりさまから家族連れまで、さまざまな層がさまざまなシーンで訪れる。コーヒー一杯でも、遅めのランチも、昼飲みも、夜カフェも、さらには飲み放題までOK。使い勝手の良さが大きな魅力だ。

「そこにいるだけで楽しめるような店でありたい。また、酒とコーヒーを駆使してほかにはないものをお出ししたい」と語る店主が手がけるメニューは、どれもオリジナリティに富んでいておもしろい。特に、オリジナルカクテルのベースとして、あるいは料理の隠し味にも使っている上質なエスプレッソが、この店の核になっているそう。華やかな味わいのカフェラテ、苦味を効かせた大人なスイーツ…。コーヒーが奏でる多彩なアイデアを楽しんでみて。

元は倉庫だった場所を改装した空間は、開放的で居心地がいい

オリジナリティに富んだ
粋でモダンなカフェ&バー

1_全粒粉のパン生地を使い、食べごたえ抜群の「ホットドッグ」600円。チリソースにマスタード、スイートレリッシュ、オニオンチップをトッピングして味わい豊かに　2_カカオリキュールとアドボカート、エスプレッソと生クリームのカクテル「カフェ・エクレール」800円　3_エスプレッソのほのかな苦味で大人の味わいに。「エスプレッソのレアチーズケーキ」500円。コーヒー豆は静岡市の人気焙煎所「鳥仙珈琲」から仕入れている

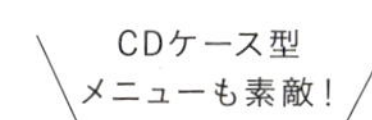

Recommend Menu
おすすめメニュー

- カフェモカ　520円
- 自家製レーズンバター　470円
- 焼きかぼちゃとブルーチーズのサラダ　800円
- 濃厚エスプレッソゼリー　420円
- ティラミス アフォガードスタイル　500円

DAYBREAK Liquor&Coffee

静岡市葵区伝馬町20-12
☎054-663-9438
営14:00〜17:00、18:00〜24:00
休月曜、ほか不定休　P なし
HP instagram/daybreak.shizuoka
【テイクアウト】ドリンクのみ可
【クレジットカード】不可
【席数】カウンター9席、テーブル14席
【煙草】全席禁煙
【アクセス】JR静岡駅より徒歩10分

焼津市

Cafe Baumkronen

バウムクローネン

窓の外に広がる風景を楽しめる天気の良い日は、テラス側の席からは富士山が見えることも

1_「季節のフレンチトースト」1,400円。フレンチトーストは、イチゴやオレンジ、チョコバナナなど季節によって素材を変えている　2_珈琲は深煎りだが、余計な苦味や酸味がなく、多くの人が飲みやすいと感じる味わい　3_「牛すじシチューとパンのプレート」1,400円。継ぎ足ししながら作り続けているシチューは、玉ねぎを多めにし、甘みを持たせている

焼津の田畑が広がるのどかな場所に、静かに佇む古い洋館のような建物がある。ここは以前洋菓子店だった空き店舗を利用し、2017 年にオープンしたお店。店主夫婦と、ご主人のお母様の 3 人でお店を切り盛りしている。

料理とパンと珈琲の修行経験があるご主人と、洋菓子と珈琲の修行経験がある奥様がそれぞれの得意分野を生かし、さまざまなメニューを用意。料理もケーキもパンも珈琲も提供しているが、どれも心を込め、こだわっているので、丁寧で優しい味がする。店内は、アンティークの家具、生花やドライフラワー、さりげない雑貨で彩られている。「くつろげるように、空間にゆとりを持たせています。読書に耽り、数時間、長居していただいてもかまいません」とご主人。過剰過ぎず、それでいて丁寧な接客は、訪れる人の心を落ち着かせてくれるに違いない。

Cafe Baumkronen

焼津市惣右衛門732-2
☎054-659-4679
🕐12:00～20:00（ランチ12:00～L.O15:00
ディナーL.O.17:00～20:00）※土・日曜
祝日のみ8:00～L.O.9:30までモーニング営業あり
休月曜、他臨時休業あり。月曜が祝日の場合は営業、翌日休み
P13台　HPFacebook、Instagram、Twitterあり
【テイクアウト】可（電話にて予約・取置可能）
【クレジットカード】不可
【席数】テーブル26席　【煙草】全席禁煙
【アクセス】東名高速道路大井川焼津藤枝スマートICより車で約10分

Recommend Menu おすすめメニュー

- ランチセット　パスタやキーマカレーからセレクト
  デザート付　1,600円　　デザートなし　1,350円
- 珈琲　500円～
- オーガニックハーブティー　650円～

静岡市葵区

菜食とおやつ Locomani

さいしょくとおやつ ロコマニ

「長年飲食業界で働き、食品業界の裏側を知るにつれ、自分がお客様にお出ししたい料理はなんだろうと考えるようになりました」と話す店主の青島さん。2009年のオープン当初は、ベジタリアン向けの野菜のみの料理と、お肉も食べたい人向けの料理の両方を用意していたという。しかし、やはり自分が勧められるものだけにしたいと、オープン2年目頃から菜食のみの料理へ変更。静岡県産の減農薬のお米や自然農法などの野菜、無添加の調味料を使って料理を作る。

静岡市の街中にありながらも、気負わず過ごせる温かみのあるお店。「手のぬくもりを感じるものが気になる。拾ってきたものから価値を見出すのも好き」という青島さん自らが収集した多国籍なインテリアが店内を彩る。心に染み入る温かいご飯とともに、食について見直してみたくなるお店だ。

1_「ヴィーガン　ケーキセット」850円。ケーキはショーケースの中からセレクト。タルト以外はハーフサイズ2種でもOK　2_店主の青島さん夫妻　3_店名は、ローカルのロコと、イタリア語で手の意味のマニを合わせたもの。手仕事を感じるインテリア　4_「ロコマニ菜食プレート」1,320円。玄米ご飯、6分づき麦入りご飯、ハーフ&ハーフから選べる。大豆ミートの唐揚げ、車麩のカツなど今週のメイン料理に、乾物、季節野菜のおかず4品、野菜の味噌汁、三年番茶付き。味噌汁は椎茸と昆布の出汁に三年熟成味噌を使用

安心して食べられる食材を使った料理

Recommend Menu
おすすめメニュー

- ベトナム風アジアンライス　1,120円
- ベジタコライフ　1,120円
- フェアトレード ブレンドコーヒー　500円
- 豆乳スパイスチャイ Hot 570円　Ice 590円

菜食とおやつ Locomani

静岡市葵区鷹匠1-10-6
☎054-260-6622
🕒月～土11:30～18:00、日・祝11:30～15:00
休不定休
Pなし
HP Instagramあり

【テイクアウト】可（事前予約がおすすめ）
【クレジットカード】不可
【席数】テーブル12席、カウンター4席
【煙草】全席禁煙
【アクセス】しずてつ新静岡駅より徒歩2分、JR静岡駅より徒歩8分

静岡市清水区

川村農園CAFE

カワムラノウエンカフェ

完熟の旨みをギュッと凝縮! 絶品ジュースを召しあがれ

完熟アミノレッドの甘み、旨みが凝縮された「トマトジュース」280円。フルーティーな味わいを堪能できる

世界文化遺産・富士山の構成資産である三保松原からほど近く。川村農園は江戸・元禄時代から12代にわたって続く農家で、トマトをメインにさまざまな農作物をこの地で栽培してきた。「農業を介して三保という土地に貢献したい」と語る12代目が営むこの農園カフェでは、その農作物を活かしたさまざまなフードやドリンクを楽しめる。

まず味わってほしいのは、アミノレッドという独自ブランドの完熟トマトを贅沢にしぼった100%トマトジュース。アミノレッドは化学肥料一切不使用、有機発酵肥料で土づくりにこだわりながらじっくり育てているトマトで、アミノ酸をたっぷり含んでいることが名の由来になっている。それを贅沢にしぼったジュースは驚くほど甘く、旨みたっぷりで濃厚な味わい。トマトジュースが苦手、という人にも試してほしい一品だ。早摘みレモンやマスクメロンを使ったスムージーもぜひ。

1_建築現場の足場板などの古材を活かした、心地よい空間　2_カフェスペースに併設されている直売所は毎日13:00～18:00で営業　3_浜松の「とんきい」から仕入れている無添加ベーコンとたっぷり野菜を濃厚なトマトのスープで味わえる「ミネストローネ」500円　4_ぷくっとしたハート型が特徴の「アイコ」というトマトを使ったトマトゼリーと、アミノレッドのトマトムース、フローズンヨーグルト、生クリームを合わせた「トマトパフェ」1,280円

川村農園CAFE

静岡市清水区三保1816-2
☎054-334-0789
⏰13:00～18:00
休月～金曜　P10台
HP kawamura.eshizuoka.jp

【テイクアウト】可
【クレジットカード】不可
【席数】テーブル20席、テラス20席
【煙草】禁煙　【アクセス】東名高速清水ICより車で20分
※価格は全て税抜き価格

Recommend Menu
おすすめメニュー

- マスクメロンジュース　450円
- マスクメロンスムージー　630円
- レモンスムージー　600円
- ピザトースト　380円

静岡市葵区

chagama

チャガマ

1877年創業の老舗製茶問屋「マルモ森商店」が運営する、日本茶専門店。もっとより多くの人にお茶に触れてほしい、という想いから「パサージュ鷹匠」で2014年にオープンした。スタッフが丁寧に急須で淹れてくれる約100種類におよぶお茶を試飲でき、色が綺麗なもの、クセが少ないもの、苦味が強いものなど、自分好みのお茶をのんびり探すことができる。

何かお茶屋さんって入りにくい…、という人のための入口として発案したという商品が「煎茶エスプレッソ」。グラインダーで細かく引いた茶葉をエスプレッソマシーンで抽出した新感覚の味わいで、旨み、苦み、渋み、甘みという、お茶が本来持っている味わいをギュッと凝縮させている。ここへ来たらぜひ試してほしい一品だ。ほか、煎茶エスプレッソに生姜とクローブ、シナモンを合わせたチャイやフレーバー類もあり、新しいお茶の親しみ方を提供している。

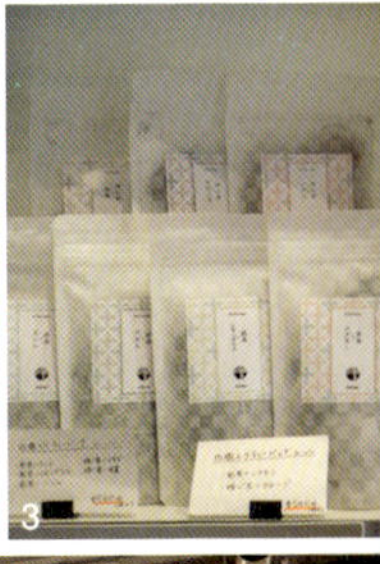

お茶の味を凝縮した煎茶エスプレッソが新感覚

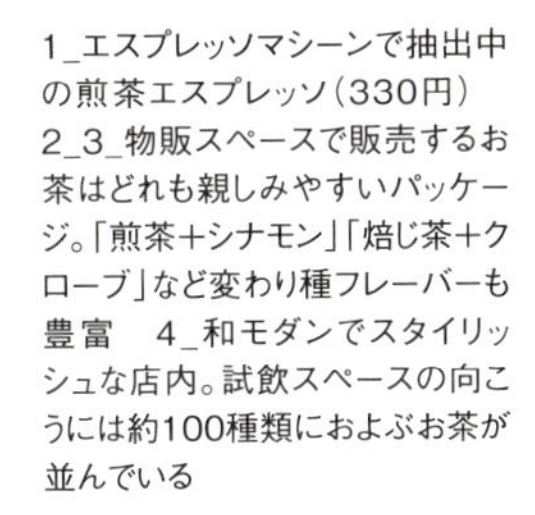

1_エスプレッソマシーンで抽出中の煎茶エスプレッソ（330円） 2_3_物販スペースで販売するお茶はどれも親しみやすいパッケージ。「煎茶＋シナモン」「焙じ茶＋クローブ」など変わり種フレーバーも豊富　4_和モダンでスタイリッシュな店内。試飲スペースの向こうには約100種類におよぶお茶が並んでいる

Recommend Menu
おすすめメニュー

● 煎茶チャイ　594円

煎茶エスプレッソに、生姜やシナモン、クローブといった本物のスパイスを加えてピリッとした辛みがクセになる

chagama

静岡市葵区鷹匠2-10-7 パサージュ鷹匠1F
☎054-260-4775
🕘10:00～19:00
休月曜（祝日は営業）
Ⓟなし
HPochanet.com/chagama
【テイクアウト】可
【クレジットカード】可
【席数】カウンター4席　【煙草】禁煙
【アクセス】JR静岡駅より徒歩10分

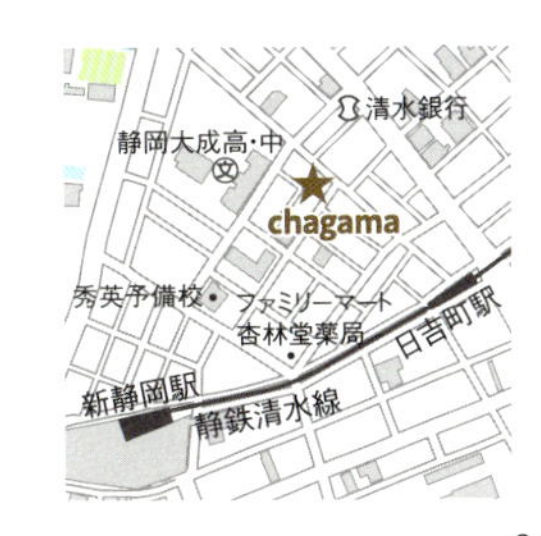

静岡市駿河区

UMI TABLE

ユーエムアイテーブル

レディースショップを中心に、多くの店舗を街中で展開している「SELECTEYE COMPANY」が、国道150号の海沿いにオープンさせた複合施設U.M.I.。忙しい日常を過ごす大人のための癒し、非日常を提供するというコンセプトのもとで、ファッションと食、ヨガ、アロマをひとつに集め、ゆったりと寛げるひとときを提供している。精神を集中して身体を動かすことや服を選ぶこと、食べること、スタッフとの会話を楽しむこと。ここで過ごす過程のすべてを五感で満喫できる、そんな場所になることが運営の根幹。「UMITABLE」はそのなかのひとつだ。この上質な空間で味わえるのは、お米を使った身体に優しいランチメニュー、そして、デザートタイムやテイクアウトでは、同じフロアーで営む『UMI PUPAN』の国産米粉100%で作る厳選された素材の美味しさが際立つ、ちょっぴり贅沢なグルテンフリーお菓子を堪能出来る。海が見えるロケーションで、ゆっくりと過ごせるカフェレストランに、是非足を運んでいただきたい。

ゆったりとした時間を過ごせる、スタイリッシュモダンな空間。併設のヨガスタジオでヨガ教室を受講するとランチが割引になる。開講日時はホームページで確認しよう

五感を満たす海辺の複合施設
大人のための癒し空間

1_『UMI PUPAN』で作る焼き菓子は、全て国産米粉100%で、白砂糖・添加物不使用のカラダとココロに優しいお菓子。 2_ランチメニューは、米粉を使ったお野菜たっぷりのドリアが3種。ドリンク付で2,200円。写真は、彩り野菜のトマト豆乳ドリア。 3_天然の精油を使ったワークショップを開校しているナチュラルライフショップ、レディースのセレクトショップも併設。 4_季節ごとに変わる、井出牧場のジェラートと旬のフルーツを使った大人贅沢パフェ。写真は、人気のレモンパフェ

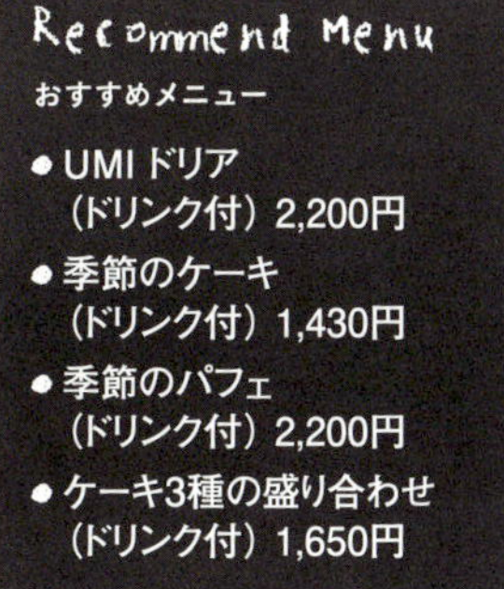

UMI TABLE

静岡市駿河区大谷3-30-25
☎054-204-0462
🕐LUNCH TIME 11:00～14:00
（デザートのみのご利用は不可）
DESSERT TIME14:00～18:00（LO16:30）
休HPを確認 P13台
HP selecteye.co.jp/umi/table.html

【テイクアウト】お菓子のみ可
【クレジットカード】可
【席数】テーブル40席 【煙草】禁煙
【アクセス】東名高速静岡ICより車で10分
※小学生以下の入店は不可

牧之原市

自家焙煎珈琲屋 コスモス

ジカバイセンコーヒーヤコスモス

国道150号線から静波海岸へ向かう、閑静な路地にたたずむ自家焙煎珈琲店。店主の蒔田大祐さん・暢子さん夫妻はふたりとも、東京は南千住の名店「自家焙煎珈琲屋 バッハ」で修行した経歴があり、2005年の開店以来、同店の理念にならった一杯を提供してきた。
「これがバッハの根幹を支える仕事」と大祐さんが語るその作業とは、コーヒー豆の欠点豆をハンドピックで取り除くもの。煎る前に未成熟の豆や腐敗豆をはじき、煎った後も、焼けすぎた豆があれば取り除く。その地道な作業によって豆本来の、香り高く味わい豊かなコーヒーになる。上質な一杯のおともには、暢子さんが作る絶品スイーツを。ロールケーキ、チーズケーキ、ガトーショコラ、タルトなど、どれもコーヒーとの相性を考えた深い味わいに仕上げている。コーヒーへのひたむきな情熱を感じさせてくれるふたりが生み出すおいしさ、堪能してみて。

店主の蒔田大祐さん。「毎日飲んでも飽きないコーヒーを提供したい」と語る。カウンターは自身が勤めていた「バッハ」と同様の造りにしたのだとか

1_陽当たりのいいカフェスペース　2_みずみずしい洋梨のコンポートにカシスの酸味がアクセントになった「洋梨とカシスのタルト」480円。コーヒーは「コスモスブレンド」を基準になる味わいとしながら、より苦味を効かせた「静波ブラック」、よりフルーティーな「ライドオン・ブレンド」など5種のブレンドをそろえている　3_手作業でコーヒー生豆を選別する　4_パウンドケーキやビスコッティ、サブレなど暢子さん手作りの焼き菓子が常時20種ほどならぶ

豆本来の味わいを活かした
雑味のない上質なコーヒー

自家焙煎珈琲屋 コスモス

牧之原市静波2263-6
☎0548-22-6685
🕙10:00～19:00
㊡火曜
Ⓟ13台
HP r.goope.jp/cosmoscoffee

【テイクアウト】可
【クレジットカード】可、QR決済(paypayのみ)可
【席数】19席
【煙草】禁煙
【アクセス】東名高速吉田ICより車で15分

静岡市葵区

BLUE BOOKS cafe

ブルーブックスカフェ

1・2階にアパレルショップやダイニングがそろうNTT電電ビル、通称「Den bill」にあるカフェダイナー。南青山のレストランで有名な「ブルーノート・ジャパン」がプロデュースしており、ブルックリンスタイルの店内には同社が監修・セレクトした、約1500冊にもおよぶ本が展示されている。すべてその場で読めるし、購入も可能だ。心地よい音楽、余裕とセンスを感じさせる空間、そのコンセプトは「毎日通いたくなる、大人のための食堂」。友達とおしゃべりしたい時や、一人でのんびりしたい時、仕事の打ち合わせをしたい時、たくさんの仲間とお酒や料理を楽しみたい時など、多様なシーンで利用できる。フードは前菜から肉料理、煮込み料理、ピザやパスタまであり、スイーツも豊富なので、たっぷり食べたい時でもちょっと小腹を満たしたい時でも使える。懐の深さを感じさせる空間で、思い思いの時間を過ごそう。

ジャズライブなどのイベントを不定期で開催するほか、貸切営業もあるので、フェイスブックで情報をチェックしておこう

本と食と音楽と。多面性が魅力の大人の居場所

1_看板メニューはこのボリューミーなハンバーガー（ランチタイム1,600円〜1,800円）。牛肉100%のパテがたまらない　2_ランチタイムの「サラダランチ」「パスタランチ」はパンビュッフェ付き　3_文芸やアート誌、情報誌や小説まで、独自の視点で集められた国内外の本がならぶ　4_しっとり濃厚な「ニューヨークチーズケーキ」600円

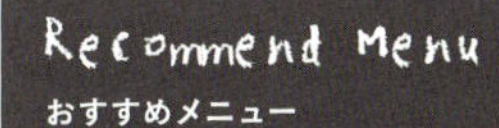

おすすめメニュー

- ヘーゼルナッツラテ　700円
- 前菜盛り合わせ　2人前1,200円
- 生ハムとパルミジャーノチーズのサラダ仕立てピザ　1,400円
- シラスとキャベツのペペロンチーノタリオリーニ　1,300円
- ビーフステーキ　ハーブバターと山盛りポテト　2,000円

BLUE BOOKS cafe

静岡市葵区御幸町4-6 Denbill1F
☎054-260-7644
🕘11:00〜22:00（テイクアウトは　20:00まで）
㊡不定休　Ⓟなし　HPbluebookscafe.jp
【テイクアウト】可※バーガーのみ
【席数】カウンター8席、テーブル53席、ソファ18席
【煙草】喫煙スペースあり（2F）【クレジットカード】可
【アクセス】JR静岡駅より徒歩5分、
新静岡鉄道より徒歩3分

静岡市駿河区

ふじのくに地球環境史ミュージアム 図鑑カフェ Perch

ふじのくにちきゅうかんきょうしミュージアム　ずかんカフェペルチ

県立静岡南高校の校舎をリノベーションした、静岡市の高台にたたずむ博物館「ふじのくに地球環境史ミュージアム」。地球環境史とは「人と自然の関係の歴史」のことを表し、それを知ってもらうことによって、静岡の未来における豊かさについての考察をうながす。そんなコンセプトで運営している。1・2階の各教室やフロアがデザインにこだわった展示空間となっており、2階の一角に「図鑑カフェ Perch」がある。

天気が良ければ南アルプスから駿河湾までを見渡せる絶景のカフェスペース。ここではネパール・インド料理の「ナマステNIPPON」から届くカレー料理をはじめ、市内の店から取り寄せているお弁当や焼き菓子などを購入して食べられる。座り心地抜群のカリモクのソファでゆったりくつろいでいこう。2階には広いキッズスペースもあるので、子ども連れの利用もオススメだ。

自由に読める自然史や環境史にまつわる図鑑がずらりとそろう（食べ物の持ち込みは不可）

丘の上にたたずむ
ミュージアム図鑑カフェ

1_天然木にこだわったキッズルーム。利用は小学校低学年まで（要保護者同伴）　2_静岡の海、山、大地が育んできた歴史にまつわる展示　3_ベルギー産100%のチョコレートのアイスとバニラアイス、コーヒーそれぞれ170円　4_フードの内容は日替わりで、カレーをはじめとした各種お弁当、パンなどから選んで購入する形　5_併設のミュージアムショップでは、静岡市に生息する野生の中・大型哺乳類17種をモチーフにした手ぬぐい、オリジナルの絵本などを販売　6_常設展示スペースの入館料は300円（カフェ利用のみは入館無料）

Recommend Menu
おすすめメニュー

- 本日のコーヒー　407円
- まっちゃレモン　220円
- うす茶糖ベレ　407円
- 茶蘇フィナンシェ　185円
- スコーン（チョコ、カレンズ）　281円〜

ふじのくに 地球環境史ミュージアム 図鑑カフェ Perch

静岡市駿河区大谷5762 2F
℡054-204-3331
営10:00〜17:00（LO16:30）
休月曜（祝日の場合は次の平日）
P200台　HP fujimu100.jp

【テイクアウト】可
【クレジットカード】不可（pay pay、AirPAY可）
【席数】テーブル46席
【煙草】禁煙
【アクセス】東名高速静岡ICより車で15分

藤枝市

マツウラコーヒー

MATSUURA COFFEE

広大な池に咲き誇る蓮の花、桜や藤の花など、四季折々の景色を楽しめる藤枝の蓮華寺池公園。その園内のボート乗り場前にたたずむコーヒースタンドでは、店主の松浦さんが自ら焙煎した、おいしいコーヒーを味わえる。園内で過ごす人々が次々と気軽に立ち寄っては、松浦さんと笑顔を交わしていく。

コーヒーは公園を歩いてくる人が多い土地柄も考えて、一口目を多めに含める温度で抽出。かつ、苦味も酸味もあまり主張しすぎない、いつでも飲みやすい味わいで提供している。使用する豆はラオス産が中心で、一本の木から 3〜5%しか採れないピーベリーという品種。枝の先端に一粒だけ採れる豆で、果実としての甘みを強く感じられるのが特徴なのだそう。すぐ目の前でハンドドリップする松浦さんとの会話も楽しみながら、至福の一杯をいただこう。抹茶を点てるところから作る「抹茶オレ」もオススメ。

花沢の里駐車場から歩いて約15分。集落の風景を楽しみながら進もう

四季折々の風景にとけこむ
池の畔のコーヒースタンド

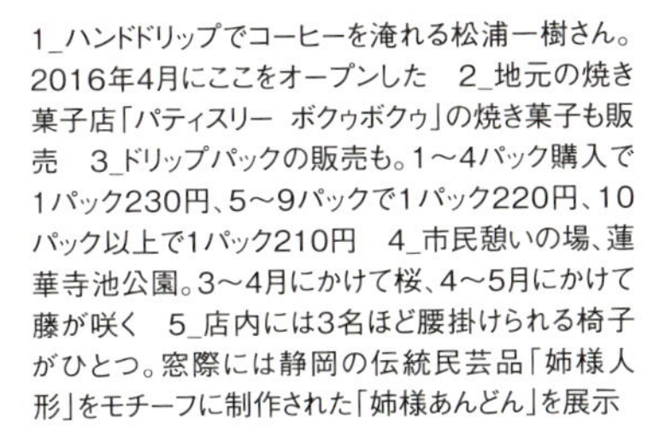

1_ハンドドリップでコーヒーを淹れる松浦一樹さん。2016年4月にここをオープンした　2_地元の焼き菓子店「パティスリー　ボクゥボクゥ」の焼き菓子も販売　3_ドリップパックの販売も。1～4パック購入で1パック230円、5～9パックで1パック220円、10パック以上で1パック210円　4_市民憩いの場、蓮華寺池公園。3～4月にかけて桜、4～5月にかけて藤が咲く　5_店内には3名ほど腰掛けられる椅子がひとつ。窓際には静岡の伝統民芸品「姉様人形」をモチーフに制作された「姉様あんどん」を展示

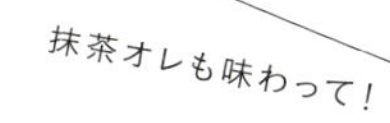

Recommend Menu
おすすめメニュー

- ホットコーヒー　400円
- カフェ・オレ　500円
- 紅茶　400円
- アイスティー　450円
- ハーブティー　400円
- アイスハーブティー　450円

マツウラコーヒー

藤枝市若王子705-2 蓮華寺池公園ボート乗り場前
☎090-4851-6132
営10:00～19:00
休水・木曜、不定休あり
P蓮華寺池公園駐車場（無料）
HPfacebook.com/coffee.shop.matsuura
【テイクアウト】可
【クレジットカード】不可
【席数】店内3席、テラス9席
【煙草】禁煙
【アクセス】東名高速焼津ICより車で15分

静岡市清水区

望月竹次郎商店

モチヅキタケジロウショウテン

昔ながらの商店らしさ。懐かしい雰囲気に癒される

粉末緑茶をふんだんに使用した「お茶氷」、実生在来茶あずきをトッピングで820円。茶は両河内「清照由苑」、小豆は中河内「松永製餡」のもの。地元の素材を活かすことにもこだわっている

静岡市清水区の山間部、元ガソリンスタンドの敷地の一角にある望月竹次郎商店。100年近い歴史のある地元に根づいた店で、現在の店主である望月久美子さんの曽祖父の時代から、製茶・精米問屋、雑貨屋、酒屋、ガソリンスタンドなど形を変えて営んできた。

「もともと商店なので、誰でも気軽に立ち寄れる商店らしさを残したかった」と語る望月さん。店内はたくさんの駄菓子がならぶスペースと、心地よい家具をそろえたカフェスペースに分かれており、昔ながらの懐かしさと同時にオシャレを感じさせる空間になっている。提供されるメニューは、夏季には行列ができるほど人気のかき氷や自家製マフィン、壺で焼いたサツマイモをパイ生地で包んだものなど、安心・安全な素材にこだわったおやつたち。小さな子どもからお年寄りまで、気兼ねなく楽しめるものが豊富にそろっている。アットホームな雰囲気のなか、やさしい味わいに癒されよう。

1_北海道産小麦や甜菜糖、あさぎり宝山ファームの卵など素材の良さが引き立つマフィンと、炒った米糠を使った「はんこ焼き菓子店」のチーズケーキ、三島市佐野産のサツマイモを使ったつぼ焼きいものパイ　2_3_ポストカード、キャンドル、アクセサリーなどの手作り作品やたくさんの絵本がならぶカフェスペースと、駄菓子コーナーがある店内

望月竹次郎商店

静岡市清水区但沼町489-4
☎054-393-2008
⏰10:00～17:00
休月・火曜　P9台
HP http://takejiro.com
Instagram_takkeisan.kumi
【テイクアウト】可
【クレジットカード】可、電子決済可
【席数】テーブル22席、テラスもあり
【煙草】禁煙
【アクセス】東名高速清水ICより車で20分

Recommend Menu おすすめメニュー

- ほうじ茶氷　600円
- 魅惑のいちごミルク　900円
- ゆめみるいちごスムージー　680円
- にじいろクリームソーダ　650円
- つぼ焼きいもマフィン　280円

静岡市清水区

haru_coffee

ハルコーヒー

静岡市清水区の閑静な住宅街で、2018年3月にオープンしたかわいらしいたたずまいの一軒。店内は4名まで腰掛けられるカウンター席が主体で、気さくな店主・杉山雅子さんとの会話を楽しみに通う人も多い。「コーヒー豆屋を営むのが夢でしたが、カフェとして長居してくださるお客さまが増えてきて」と杉山さん。ここでなら気軽に豆の違いなども聞けそうだ。

フードメニューは素材にこだわったスコーンやトーストなど、どれもリーズナブルに提供。コーヒー豆は自家焙煎で、飲みやすさを重視した「はるブレンド」や、清水次郎長が飲むコーヒーをイメージした「次郎長ブレンド」、華やかな味わいの「コノハナブレンド」など4種類のブレンド、5種類のストレートコーヒーがそろう。ハンドドリップの香りと、アットホームな空気に癒されながら、自分好みの一杯を楽しもう。

初めて訪れる人も自然とそこに馴染めるような、アットホームな空間

まさに隠れ家喫茶ならではのよさ

1

2

3

4

1_2_こだわって焙煎した豆の味わいを、ハンドドリップで丁寧に抽出。コーヒーは豆も販売している　3_テイクアウトしやすいように小窓がついた　4_安心素材で作る「まぁちゃんのまぼろし～のスコーン」200円。チョコ、イチジクとクルミ、フルーツグラノーラなどその日によって内容は変わる　5_「鈴木養蜂園」のはちみつ

5

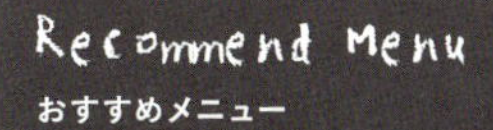

Recommend Menu

おすすめメニュー

- ホットコーヒー　450円
- 水出しアイスコーヒー　500円
- 淹れたてアイスコーヒー　550円
- 田原のバタートースト　300円

haru_coffee

静岡市清水区下野西2-23
☎090-8549-5329
営9:00～17:00　休日～火曜、土曜不定休
（毎月ブログとinstagramにて告知あり）
P3台　HP instagram.com/haru_coffee

【テイクアウト】可
【クレジットカード】不可
【席数】カウンター4席、テーブル2席　【煙草】禁煙
【アクセス】東名高速清水ICより車で5分

静岡市葵区

DOWN HOME CAFE

ダウン ホーム カフェ

おしゃれなお店が多い静岡の人気エリア・鷹匠にありながらも、知る人ぞ知る、隠れるように営業しているお店がある。名古屋で同じ屋号でカレー店を営んでいたオーナーが、地元にUターンをし、2015年にオープンしたお店だ。

オープン当初はピザやパスタも提供していたというが、今はこだわりのカレーに絞って提供している。種類は独自の配合でスパイスをブレンドしたキーマ、チキン、ひよこ豆の3種類のみ。オーナーの人柄が滲み出るようなやさしい味わいで、なおかつ通をも唸らせるスパイスが混ざり合った深みがある味に仕上げている。カレーは営業時間中いつでも提供可能なので、他店のランチタイムを逃した人が遅い昼食を食べにくることも。「おしゃれ過ぎないお店にしている。好きにくつろいでもらえれば」とお客様それぞれの時間を尊重するようにしていると話す。

1_日本の雰囲気も外国の雰囲気も漂うボーダレスな空間　2_「ハーフ&ハーフ」1,000円。カレーはサラダ、ドリンク付き。「キーマカレー」はタマネギ、トマト、鶏ひき肉、さまざまなスパイス、ココナッツで作る　3_音楽と自転車が好きというオーナーが一人で切り盛り。1年近くかけ、内装から自ら作り上げたという　4_現役で使われているレコードプレーヤー。　5_「チョコレートケーキ」400円。甘過ぎないよう、オーナー自らが手作り

居場所になるお店。スパイス香るカレー

DOWN HOME CAFE

静岡市葵区鷹匠1-9-6 渡辺ビル1F
☎080-8256-2524
🕒11:30〜20:30(L.O19:30)
休月曜、火曜
Pなし
HPなし
【テイクアウト】可(カレーのみ)
【クレジットカード】不可
【席数】テーブル12席、カウンター4席
【煙草】全席禁煙
【アクセス】しずてつ新静岡駅より徒歩2分、JR静岡駅より徒歩8分

Recommend Menu
おすすめメニュー

- キーマカレー　1,050円
- チキンカレー　950円
- ひよこ豆のカレー　950円
- 各種ドリンク　350円〜
- 各種アルコール　400円〜

カフェのTAKE OUT

本編で紹介できなかったカフェでおすすめのテイクアウトを紹介します!

Cafeteria PARICA

カフェテリア パリカ

[野菜ソムリエの作る料理が人気]

郊外の喫茶店の野菜たっぷりランチが人気。「日替わり野菜たっぷり弁当」(1,350円・税込)はメインおかずに、その日の惣菜3品、彩りサラダ、野菜スープ、十六雑穀ご飯or白米がセットに。野菜たっぷりおかずセット(756円)もある。

静岡市葵区安西5-85
☎054-273-2664
🕘9:00〜19:00
休月曜・第3日曜　Pあり

ALLEE RESTAURANT

アレイレストラン

［季節替わりのテイクアウトメニュー］

喫茶店のように落ち着ける雰囲気のカフェレストラン。季節替わりのテイクアウトがあり、秋はケチャップライスにきのこたっぷりのトマトソースをかけた人気メニューの「きのこソースのオムライス」(900円・税込)がおすすめ。

静岡市葵区鷹匠3-18-20
古永家ビル2F
☎054-209-1221
🕒11:30〜15:00、18:00〜22:00
休火曜・第3水曜　Pあり

DINING BAR STANDOUT by RUMOR

イニングバー スタンドアウト バイ ルーマー

[スパイスの効いたカレーがおいしい！]

STANDOUTの特製カレー(日替り)ソースとターメリックライスに相性ピッタリの「あらびきポークフランクカレーライス」(899円・税込)。豚の腸詰め極太フランクフルトを3種のハーブスパイスと特製シーズニングで焼き上げた肉汁たっぷりの静岡伊勢丹地下食品売り場「惣弁」特設ブースにてレギュラーメニューで提供されている。

静岡市葵区両替町2-1-15 ガルボビル1・2F
℡054-255-2290
営月・木～土曜18:00～25:00、
火・日・祝 18:00～22:00 休水曜 Pなし

This Is Cafe 藤枝店

ディス イズ カフェ フジエダテン

[藤枝店オリジナルのカフェ弁当]

This is Cafeの中でお弁当のテイクアウトができるのが藤枝店。香ばしいチキンに自家製のハニーマスタードをかけた「グリルチキン」、スパイシーな挽肉のタコライスに目玉焼きを乗せた「タコライス」(各810円・税込)をぜひ試してみて。

藤枝市築地546-1
℡054-639-9695 営11:00～21:00(LO20:20) 休無休 Pあり

hugcoffee

ハグコーヒー

[もちもち食感のパスタをお持ち帰り]

シェフこだわりのバジルソースとスモークサーモンの深い味わいに、フレッシュなトマトが爽やかなアクセントの「トマトとスモークサーモンのジェノベーゼパスタ」は平日ランチ11:30〜15:00だと1,200円(1ドリンク付・税込)、土日とランチ時間以外は単品1,100円。

静岡市葵区両替町1-3-9わかさビル1F
☎054-260-7578
営月〜日、祝日、祝前日:11:30〜21:00
休無休　Pなし

Cafe-Refresh

カフェ リフレッシュ

[ボリューム満点の贅沢カレー弁当]

日本平動物園すぐ傍のハンモック&ドッグカフェ。「ハンバーグ&カレー弁当」(1250円・税込)はスパイスカレーと肉汁たっぷりの手ごねハンバーグ200gが入って、ボリューム満点!他にもチキンカレー弁当(950円)など種類が揃う。

静岡市駿河区池田1795-1　☎054-294-7258
営8:00〜LO15:30、18:00〜LO20:15
(土曜LO19:30、日祝LO17:15)
休木曜・金曜　Pあり

パン屋さんの カフェ

パンにはコーヒーがつきもの。
イートインのあるパン屋さんを
紹介します。

[イートインスペースで味わう体に優しいパン]

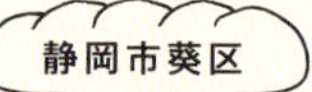

ブレッドランドNACH Ū RU

ブレッドランドナチュール

焼き上がったパンが所狭しと並ぶ店内。1ヶ月ごとに少しずつ商品が変わるから通いたくなる

よく手入れされた前庭がすがすがしくて気持ちのいいエントランス。

移転後、イートインスペースができたことで更に賑わいを見せている「ブレッドランド　ナチュール」。以前と比べると男性客やご年配のお客、そしてファミリーも増え、いろいろな層に幅広く受け入れられているよう。創立以来、天然酵母と国産小麦を使った「体に優しいパン」というコンセプトは変わらず、その上ラインナップは30〜40種程度まで増えている。最近では動物性のものを一切使わないサンドイッチも開発。「お子さんが初めて食べるパンがナチュールのパンだったらとても嬉しいです」と店長は笑顔で話す。

毎日のモーニング（8時〜11時L.O）と平日のランチ（11時半〜14時）には、さまざまな人が思い思いにパンとドリンクを楽しんでいる。閑静な住宅街に欠かせないベーカリーカフェとして、ナチュラルに自然体に、これからも素敵な進化を遂げるに違いない。

1
2 3
BREAD
,
SANDWICH
,
SWEETS

1_トーストに目玉焼き、ベーコン、サラダを組み合わせた「モーニングBプレートセット」(860円)。ドリンクはコーヒー、紅茶、すりおろし林檎ジュースから選択　2_ガラス越しに見える何種類ものパンに期待が高まる　3_「有機チャイミルク」(525円)はカルダモンやシナモンが香り、ホッと温まるスパイシーな1杯　4_ベジ対応のサンドからフルーツサンドなどもある　5_明るくポップな店内。ファミリーから一人客まで思い思いにくつろぐ姿が

4

5

ブレッドランドNACH Ū RU

静岡市葵区安東2丁目16-13
(静岡市安東児童館となり)
☎054-246-7600
🕗8:00-17:00
㊡月曜　Ⓟ10台
HP https://nature-bread.com/
【テイクアウト】あり
【クレジットカード】不可
【席数】テーブル20席、テラス10席
【煙草】全席禁煙
【アクセス】しずてつジャストライン・大浜麻機線「安東2丁目北」徒歩1分

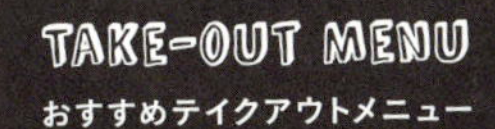

おすすめテイクアウトメニュー

- 大豆ミートのvegeサンド 470円

下味のついた大豆ミートがおいしく、ボリューム満点。卵、乳製品は不使用なのも嬉しい。

RECOMMEND MENU

おすすめメニュー

- コーヒー(ICE・HOT)　380円
- 有機アールグレイ (ICE・HOT)　400円
- ORGANIC GREEN TEA ミント(HOT)　420円
- コーヒーフロート　500円
- クリームソーダ(ベリー)　560円
- すりおろし林檎ジュース　380円

［自家焙煎コーヒーと富士山の溶岩窯で焼き上げたパン］

NEWS by 河西新聞店

ニュース バイ かわにししんぶんてん

1 2
3

新聞店がパンとコーヒーのお店を？　そんな疑問を抱いた人も多いのでは。「新聞受けを開けたら、新鮮なコーヒー豆が届いている。そんな楽しみ方をしてもらえたらと始めました」と語る河西さん。2015年にコーヒー豆の宅配から始まり、2017年にパン教室の講師をしていた奥さまとともに実店舗をオープンした。

豆は、さまざまなところから取り寄せ、選びに選び抜いたこだわりの豆。雑味が少なく澄んだ美しいコーヒーを追求している。パンは富士山の溶岩窯で焼き上げており、子どもからお年寄りまで味わってもらえるようにとやわらかいパンが中心。エスプレッソとパンを融合させた夫婦合作のパンや、宮内庁御用達あんこ屋の特注あんこを使用したパンが特徴的だ。ドリップは60cmのテーブルを挟んで行うため、会話しやすい距離。パンやコーヒーについていろいろ聞いてみたくなる。

4

5

1_パンは無添加にこだわる。国産小麦を中心に、ハード系は海外の小麦を使用するなど使い分け。夫婦合作の「エスプレッソパン」、白玉団子入りの「こしあんぱん」のほか、「つぶあん」や抹茶、さくら、焼栗あんなどの季節限定のあんぱんも並ぶ　2_「ここのメロンパン、レーズンパンを食べてから他では買えなくなった」という人も。自家製のミルククリームを挟んだ「ミルクフランス」はソフトタイプのもっちり生地。お子さんを中心に人気がある　3_「コーヒー豆は焙煎後、日々味が変化していく。その味の移り変わりも楽しんでほしい」と話す河西さん　4·5_テイクアウト専門店だが、外のテラス席や、雨の日は店内でコーヒーをいただくことも可能

NEWS by 河西新聞店

静岡市清水区由比寺尾63
☎054-375-2507
営11:00〜16:00
休日・月・火曜　P4台
HP news-kawanishi.com

【テイクアウト】可
【クレジットカード】不可
【席数】テラス8席程度
【煙草】全席禁煙
【アクセス】JR由比駅より徒歩10分

RECOMMEND MENU
おすすめメニュー

- エコプレッソ

クッキー生地でできた器にエスプレッソを淹れた「エコプレッソ」。内側は甘いアイシングでコーティングされており、時間とともにエスプレッソの味わいも変化。最後はエスプレッソの苦味が染み込んだしっとりした器もいただく　626円

- ハンドドリップコーヒー　430円〜
- カフェラテ　480円〜
- エスプレッソパン　190円〜
- こしあんぱん（白玉団子入り）210円

［思わず笑みがこぼれるボリューム満点サンドイッチ］

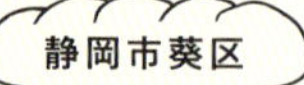

Gemminy's

ジェミニーズ

「チキン&グリル野菜 自家製ハニーマスタードソース ランチセット」。ランチタイムは自家製フレンチフライまたは季節のスープにドリンク付きで1,580円

朝9時から開店する、街中の一軒。その名の通り姉妹で営んでおり、コーヒーやラテを淹れるバリスタ、フードを作る調理担当とで役割を分担している。コーヒーは市内の自家焙煎珈琲店「創作珈琲工房くれあーる」から仕入れるシングルオリジンを、シアトル製エスプレッソマシーン「シネッソ」で抽出。スペシャルティコーヒーの上質さを引き出した一杯は、フルーティーで雑味を感じさせず、味わい深い。

サンドイッチや、毎朝焼き上げるホームメイドスイーツをはじめとしたフードメニューのテーマは「コーヒーに合うもの」。特に、市内で人気のパン屋さん「TROTIX」に特注の五穀入り食パンを使ったサンドイッチは、見た瞬間笑みがこぼれるほどボリューミーで、おいしいと評判だ。たっぷり挟んだ野菜のシャキシャキとした食感を、香り豊かなコーヒーとともに楽しもう。テイクアウトもOKなので、気軽に立ち寄ってみて。

1_モダンでアメリカンな雰囲気の空間　2_コーヒーは自家焙煎コーヒーの店「くれあーる」のスペシャルティコーヒーを使用し、シアトル製のSynesso（シネッソ）のエスプレッソマシンで淹れる。3_姉妹で営む田島梓沙さん（左）と大石知夏さん　4_赤茶の看板が目印のオシャレな外観

Gemminy's

静岡市葵区伝馬町10-9 松本ビル1F
☎054-260-6551
営平日9:00～17:00
土・日曜、祝日8:00～17:00
（16:00LO、10:30～11:00はclose）
休火曜 P なし HP Instagram@gemminys

【テイクアウト】可
【クレジットカード】可
【席数】テーブル18席
【煙草】全席禁煙
【アクセス】JR静岡駅より徒歩10分

RECOMMEND MENU
おすすめメニュー

- Bacon&Egg　1,180円
- B.L.A.T　1,000円
- 季節のフルーツのフレンチトースト（ドリンク付き）　1,980円
- カフェラテ　M550円

[毎日食べたくなる、リピート必至のパンいろいろ]

Pain SiNGE

パンサンジュ

1_「パストラミビーフサンド」イートイン314円と「冬瓜の冷製スープ」同369円。スープは季節によって変わっていく　2_奥にはテーブル席もあるのでゆったりとモーニングやランチを楽しめる　3_「ベリーとカスタードのバスケット」イートイン231円、「コーヒー(ホット)」同215円。出勤前のお客に人気のパンは元気が出る甘酸っぱさ

一目惚れではなく、長く付き合ってじわじわと良さが分かる恋のような「パンサンジュ」のパン。パンの味は濃くせず、ひとくちめのインパクトはあえて求めていないそう。しかし、食べ続けるうちにその味が後を引き、すぐにまた食べたくなるから不思議だ。原料高騰の折でも「バターはバターのまま、材料の品質は下げたくない」と心意気を話すオーナー。ハード系から菓子パンまで、たくさんの種類からワクワクして選べ、値段が手頃なことも魅力。

イートインスペースにはオーブンがあり、購入したパンをリベイクして食べることができる。「誰かに教えるというより、自分が行きたい店であり続けたい」という言葉のとおり、ひっきりなしにパン好きのお客が訪れる。オフィス街にあり、出勤前に元気を出したり、ランチでボーッとお堀を見たりするのにぴったりなサードプレイスだ。

お堀の水面が揺れているのを見ているだけで癒やされる。春はお花見の隠れた人気スポット

4_大通りではなく駿府城のお堀に面していて、秘密めいているエントランス
5_「カフェラテ(アイス)」イートイン264円はコクがあってパンにぴったり

Pain SiNGE

静岡市葵区追手町9-18　静岡中央ビル1F
054-251-0551
7:00～18:00
休日・祝　Pなし
HPインスタグラム @painsinge

【テイクアウト】あり
【クレジットカード】不可
【席数】カウンター6席、テーブル12席
【煙草】全席禁煙
【アクセス】しずてつジャストライン「中町」下車徒歩3分

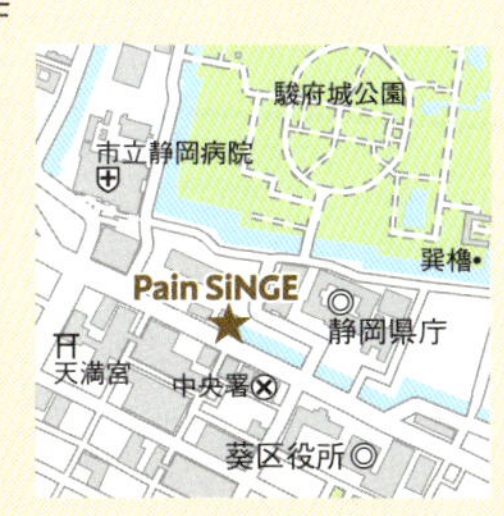

TAKE-OUT MENU
おすすめテイクアウトメニュー

● エピ
テイクアウト 205円
イートイン 209円

フランスパンの生地にベーコン・オニオン・チーズを包んで焼き上げたエピは、ちょっとしたおやつにも軽いランチにもおすすめ。

INDEX
エリア別

静岡市葵区

静岡市駿河区

静岡市清水区

焼津市

藤枝市

牧之原市

島田市・川根本町

INDEX
あいうえお順

Staff

編集・制作

(有)マイルスタッフ
TEL:054-248-4202
http://milestaff.co.jp

取材・撮影

河田良子
朝比奈綾
近藤ゆきえ

デザイン・DTP

山本弥生
小坂拓也

静岡　カフェ時間　こだわりのお店案内

2022年10月30日　　第1版・第1刷発行

著　者　ふじのくに倶楽部（ふじのくにくらぶ）
発行者　株式会社メイツユニバーサルコンテンツ
代表者　大羽 孝志
〒102-0093 東京都千代田区平河町一丁目1-8
印　刷　株式会社厚徳社

◎『メイツ出版』は当社の商標です。

●定価はカバーに表示してあります。

ISBN978-4-7804-2684-7 C2026 Printed in Japan.

ご意見・ご感想はホームページから承っております。
ウェブサイト　https://www.mates-publishing.co.jp/

編集長：堀明研斗　企画担当：千代 寧

※本書は2017年発行の『静岡 カフェ日和 ときめくお店案内』を元に内容の確認、一部掲載店舗を差し替え、書名・装丁を変更して新たに発行したものです。